伝えるための準備学

古舘伊知郎

はじめに

本当は、「準備学」なんて語りたくなかった。

「特に準備はしていません」「この喋りは才能です」みたいな涼しい顔をしていたほうがカッコいいじゃないか。

ところが、僕のマネージャーは、

「古舘は、準備がすごいんです」

なんてやたら人に話したりする。そのたびに、「いやいや、やめてくれよ。メッキが剥がれるだろ」と思っていた。本人から話すならまだしも、マネージャーがタネ明かしをしてどうする。

社会に出てから約50年、人前に立ち、身ひとつ・自分の言葉だけでヒトに伝えること――僕はこれを「喋り屋」と言っている――を生業としてきた。

これまで、テレビ朝日のアナウンサーとしてのプロレス実況にはじまり、フリーになってからはＦ１実況、歌番組やトーク番組の司会、一年を締めくくる紅白歌合戦の司会、さらに報道番組「報道ステーション」のメインキャスターを12年にわたって務めるなど、幅広く仕事をさせてもらってきた。今では大学での講義を受け持ち、自身のYouTubeチャンネルを日々更新し、ステージ上にひとりで2時間15分も喋りまくるトークライブ「トーキングブルース」も続けている。

実況は目の前で起こる予測不可能な状況を描写し、合間にフレーズを入れ込む。トークも相手に合わせ、瞬時に言葉を放つ。それを世間の人は必ず「アドリブですか？」と聞いてくる。

でも、本当の意味での「アドリブ」などひとつもない。日々の準備によって自身に沈澱しているものがふいに上がってくるときがある。それが結果として「アドリブ」と呼ばれるのだ。

そして、齢70を目前にした今、改めて「準備」について考えてみて、あることに気がついた。それは、本番に臨むためにしている準備の中に、本番が入っているということだ。つまり、一所懸命に準備しているうちに、「最悪の本番」をこなしているのだ。想定の中で。いうなれば、「準備は本番、本番は準備」なのである。最悪の本番を経験すると、現実の本番は必ずやそれより上向く。

誰しもが仕事や試験など何かしらの「本番」に臨む前に準備をしている。予習して、復習して、反省して、また準備して。どんな人でも、何かしらの準備を怠らずにやっているだろう。

ひょっとしたら、そんな「準備」について、今の僕にしか言えないことがあるんじゃないか。準備という技術が求められている時代なのではないか。まだまだ涼しい顔をしてカッコつけていたい煩悩の塊の僕だが、次第にそう思えてきたのだ。

そうこうしているうちに、気がついたら本の企画になっていた。

僕がアナウンサーとなり、仕事を通して数々の天才と向き合って自身の凡人性をまざまざと感じながらも、何かしら自身の存在価値を残そうともがき、そうして作られてきたのが、古舘伊知郎なりの「準備学」である。

我流、亜流、異端、無手勝流《むてかつりゅう》もいいところ。決して効率的ではないし、時間短縮にもならない。それどころか無駄をよしとしてしまう。そう、僕は、昨今、盛んに言われている「コスパ」「タイパ」からかけ離れた世界に生きているのだ。

何でもコスパよく、タイパよく、チャチャッと準備できる優等生もいるだろう。この広い世界には、そもそも準備すら必要ない天才も存在する。僕がそのひとりではないことは、自分でよくわかっている。だからコスパ度外視、タイパ度外視で泥臭く準備するしかない。

すでに世の中には、ビジネスで百戦錬磨の業績を持つようなすごい人たちが自身のノウハウを開示した書籍がたくさんある。

僕が本書で話していくのは、「少なくとも僕はこうしてきた」という準備の心構えや作法だ。たぶん、万人の特効薬にはならない。しかし、僕と同じように優等生でも天才でもないことを嫌というほど自覚している人には、漢方薬のようにじわじわと効くに違いない。みなさんの人生にも取り入れられそうなものがあったら、ぜひ、少しずつでも実践してみてほしい。

とはいえ、漢方薬も、薬は薬。用法・用量には、くれぐれもご用心を——。

では、本当は語りたくなかった「古舘伊知郎の準備学」を始めよう。

『伝えるための準備学』目次

序章　「職業・準備家」はこうして生まれた

――無口な少年が「準備の鬼のお喋り魔」に

●無口だった少年時代、喋りの欲求が爆発した高校時代

今では自ら「準備、準備、また準備」と宣《のたま》い、マネージャーからも「準備の鬼」なんて言われている僕だが、最初からそうだったわけではない。むしろ就職するまでは「ノー準備」の人間だった。

さらには、今みたいな「お喋り」でもなかった。母と姉はよく喋る人たちだった。2人に圧倒されるような感じで、僕はひとり、じっと黙って俯いているような無口な少年だったのだ。「口から生まれてきた」かのような今の僕の姿からは、想像もつかないかもしれない。

この、ノー準備で無口だった頃にこそ、僕の準備学の原点がある。

思い返せば、「伊知郎は無口な子だ」と言われて育った。昔ながらの価値観も影響していたのかもしれない。「男は黙って何とやら」「女みたいにペチャクチャ喋るんじゃない」というやつだ。何しろ父は戦前生まれ。そういう時代だった。

周囲から日々、浴びせられる評価や植え付けられる価値観は、苗床、田植えみたいなもので、いつしか自己意識という実をつける。僕も親から（特に父親から）「伊知郎は無口だ」「男は無口

なほうがいい」と言われるうちに、自分で自分のことを「無口」だと思い込んでいた。母と姉がよく喋る人たちだったから、家族内で自然と無口な立場に落ち着いてしまっていたのもある。

勉強はまあまあできたほうだったと思う。小学校、中学校は公立校で難なく過ごし、高校受験で立教高等学校に進学。立教大学の付属校だから大学受験はないも同然だ。そんなものだから、「ノー準備」。この頃もまだ無口なまま過ごしていた。

だが、高校生活のある日、何かが変わった。

昼休みの中庭で、同級生がプロレスごっこを始めた。今の若い人たちにはピンとこないかもしれないが、当時の男子はみんなプロレスに夢中だった。

同級生2人が取っ組み合う。「ごっこ」といっても生易しくはない。「試合」は激しさを増し、凶器となったボールペンで額が切れて赤い血が流れる。ミッション系の学校だったから、チャペルの広い中庭があった。教会の前で流血の殴り合い。そんな光景を見ていたら、突然、何かが自分の中で突き上げてきた。僕の口から――今まで必要最低限の用途しか果たしてこなかった、その空洞から、どんどん、どんどん言葉が溢れてきたのだ。

「さあ、どうなる！　このチャペルの鐘の音を血みどろにそめ抜いて……！」

圧力釜からシューッと蒸気が出るように、身体がはち切れるような感覚。気づいたときには、とりつかれたように実況をたたみ込んでいた。

「観戦」していた男子たちは大盛り上がり。「おまえ、実況うまいじゃん！」と口々に言われた。初めて喋りで褒められた。その興奮と、背中に渦巻いて爆発しそうなほどの多幸感は格別だった。「ひょっとして、自分は喋りがうまいんじゃないか」と思った。

通りかかった教師がボソリ、「バーカ」とだけ呟いて去って行ったことを、妙に鮮明に覚えている。「バーカ」のひと言である。生徒のじゃれ合いが流血戦に発展していても、特に取り合わない。当時の学校はおおらかなものだった。

この昼下がりに、僕の中で煮えたぎっていた「喋りたい」という情熱のマグマが限界に達し、ついに噴火した。この日以降も、学校では毎日のようにプロレスごっこが繰り広げられ、僕は夢中で実況を続けた。

今考えると、僕はただ無口だったのではないように思う。ずっと「喋りたい」という欲求が抑圧され、奥底でマグマのように煮えたぎっていたようだ。

後付けだが、もし幼少期に「無口だ」という評価と価値観によって喋りたい欲を押さえつけられていなかったら、ここまでの勢いでは爆発しなかったかもしれない。いうなれば「抑圧された情熱」が、図らずも後の人生の準備になっていたわけだ。

●テレビ朝日入社、局アナ時代は「職業＝準備家」

喋りたい欲が爆発すると、「〝喋る〟といえばアナウンサーだ。アナウンサーになりたい」という憧れが生まれた。ただし、そこで急に「準備、準備、また準備」の日々に突入したわけではない。

大学3年生の時にはアナウンサースクールに少しだけ通った。でも、それも「準備」とは口が裂けても言えない。僕にとっては「通った」という既成事実ができただけだ。そして、いざ就職活動に突入し、ある日、向かったのは日本教育テレビ（NET）のアナウンサー試験会場。

一次試験から音声テストだった。10名一組で、一斉にリハーサル室のようなところに通された。ベテランの局アナやプロデューサーなど並み居る人々の前で、順番に原稿を読まされる。

「山形県酒田市の大火は、無事鎮火しました」

今でも忘れない、この1行だけ読んだら「はい次の人、お疲れ様でした」と送り出される。ほんの1行だけで何がわかるものかと思ったが、膨大な数いたであろうアナウンサー志望者を、こうしてフルイにかけていたのだろう。

どこの幸運の女神が微笑んだのか、ここまで内圧を高める準備以外は「ノー準備」で来ていたにもかかわらず、僕は5次音声テストまで通り、NETのアナウンサー試験に合格した。

これで晴れてアナウンサーになれる——と勇んで4月1日の入局式に向かったら、ちょうどその日から社名が変わっていてびっくりした。「NETの局アナ」として採用された僕は、「テレビ朝日の局アナ」になっていた。1977年のことだ。

振り返ると、テレビ朝日に入りたての頃の僕は、ちょっと図に乗っていた。無理もない。高校生で喋りが炸裂し、アナウンサーになりたいと渇望したら、すんなりその目標が叶ってしまったのだから。

しかし入局早々に自分の勉強不足、不器用さ、おもしろくなさを痛感する。

得意だと思っていた喋りすらも、「古舘は声が低くて重いから、スポーツ実況には向かない」と言われる始末。スポーツ実況、それも大好きなプロレスの実況がしたくてアナウンサーになったのに……。

しかし落ち込んでいる場合ではない。ともかく自分はテレビ局に所属しているのだ。誰もが望んで得られる環境ではない。

そこから必死の準備が始まった。何ひとつ足りていない今の自分と、スポーツ実況をしている目標の自分、その差分を埋めるには、山ほど準備するほかなかったのだ。

知識・情報も技術も足りていなかったから、やるべきことは多かった。

スポーツ新聞やスポーツ雑誌の記事を片っ端から切り抜いて、自分なりに整理してオリジナルのスクラップブックを作った。ちょうどソニーのビデオテープレコーダー「ベータマックス」が発売されたころだったから、テレビのスポーツ中継を可能な限り録画しては見返し、どういう喋りだと実況がおもしろくなるのかを研究した。今はスマホで準備も時間短縮したが、この頃はかなりの時間を要した。

見て研究するだけでなく、実況の実地訓練も積み重ねた。

新人は3ヶ月ほどのアナウンス研修を受ける。才能があるやつは、それだけで完成してしまう。でも僕にとっては、3ヶ月なんて一瞬でしかない。上の指示でスポーツ中継現場へ実況練習に行かされたし、その帰り道にもひとりで訓練を続けた。

たとえば、朝から大井競馬場に行って全12レースを実況する。

今では考えられないが、先輩から「おまえらに飯を食う暇なんてない」と言われて、昼食を取らせてもらえない。合間に何か軽くつまむのもダメ。何も食べないまま実況し続け、最後のレースが終わるころには、空腹のため血糖値が底辺まで落ちていてフラフラだ。

まさに声帯の「うさぎ跳び」だ。貴重な間違いの連続。

しかも経験が浅いアナウンサーは、声帯が出来上がっていないから、一日も喋り通すと声は枯れ、喉は腫れてしまう。

そこから家に直帰する。もうヘトヘトで喉も痛いが、上司からは、帰宅の道中でも実況練習をするように言われている。電車を降り、疲れた体を引きずるように家に向かう道すがら、目に入る光景、そこから広がるいろんなイメージをブツブツと言葉にしていく。

「いつかは歌番組などの司会をやって、蝶ネクタイのひとつも締めて、パッとスポットライトを浴びてみたいと言いながら、テレビ朝日の新人アナウンサー古舘伊知郎がたった今、右足、左足と歩を進め家に近づいてまいりました。玄関が迫ってきた。おっとドアノブ。右に回すか、左に回すか。わかっているくせに、右に回した。ドアが開いた。当たり前だ。下駄箱が見えた。下駄

箱が見えた。玄関であります」

車が行き交う国道沿いをトボトボと歩き、ようやく自宅玄関に辿り着くまで続く実況。来る日も来る日も、こんなことばっかりやっていた。

毎日、生きるためにすることを「生業」と呼ぶのなら、この頃の僕の生業は紛れもなく「準備」だった。「**職業・準備家**」である。その意識は、今も変わらない。足りない何かを埋めるために、いつも必死で準備している。

第1章　準備は本番、本番は準備

――本番の失敗も次への準備となる

●最悪のＦ1実況デビュー

「ブラジル開幕戦、ネルソン・ピケ・サーキット。猛暑のブラジルです」

１９８９年3月26日。僕は初めてＦ１の放送席に座っていた。

「間もなくこのサーキット場に、セナが、プロストが、ピケが、中嶋が、マンセルが、ベルガーが、ナニーニが、さまざまな強豪が走ります！」

まだＦ１の知識も観戦歴も浅いなりに、ドライバーたちのことを調べ、細々としたサイドネタも集めた。その中にはもちろん、Ｆ１が生んだ稀代のスーパースター、アイルトン・セナの名前もあった。

「開幕戦、どんなハプニングが起きるのか。そして誰が制するのか」

しっかり資料を準備して臨んだ――はずだった。しかし……

「お――――っと、接触――――！」

スタートするや否や、ポール・ポジションからスタートしたセナが、横並びになったゲルハルト・ベルガーとリカルド・パトレーゼに挟まれる形で接触。ベルガーがスピンし、セナも激しくマシンを損傷した。

「セナが潰れた……！　セナが……！　セナが……！」

ただ絶叫しながら、頭の中は真っ白。「セナが……！」以外、出てこない。すかさず、ピットリポーターの川井ちゃんが入る。

「フロントウィング、飛ばしてる！」

「フロントウィングが今宙に舞った！　大変なアクシデントだ！」

川井ちゃんこと川井一仁さんの声にハッとして、フロントウィングについて喚く。本来、真っ先に状況を伝える実況アナが、ピットリポーターの後に続いてようやく事態を描写する始末。僕のF1デビュー戦は、実況者としては目も当てられないことになっていた。

セナはこのクラッシュ直後、激しく破損したマシンの修理のため一時離脱した。

第1コーナーを当然のように先頭で走り抜けるセナに続いて次から次へとマシンが殺到する光景を実況しよう、そればかり準備して考えていたのに。まさか、スタートから1分せずにクラッシュするなんて。いくら「開幕戦、どんなハプニングが起きるのか」と言っていたとはいえ、こんなアクシデントは想像だにしていない。

レース開始前は、繰り広げられるデッドヒートをどうおもしろく実況するかで頭がいっぱいだった。だから目の前で起こった予期せぬ現実に、言葉が付いてこない。ただただ頭だけが四方八方に混乱したまま、口先だけが走り出していた。

僕は自分なりに謙虚にしっかりと準備をしてきたつもりだったのだ。F1というモータースポーツについて、現時点ではこの程度しか知らない。でも知らないなりに、できるだけ準備してきたのだ、と。

だが、これでは、最初から限界を考慮し、そこそこで準備に見切りをつけたうえで放送席に座っていたことになる。要するに圧倒的な準備不足。もっと言えば舐めていた。

その無自覚な不遜さが、セナの接触によってハッキリと浮き彫りになったわけだ。誰もが驚く事態ではあったが、本当に準備を徹底していれば、実況アナたるもの、そこで慌てふためくはずがない。こういう不備を教えてくれる存在こそ女神と呼ぶべきだ。喜ぶべきだ。あとは上がっていくから。

ともあれ、僕の脳内の混乱などおかまいなしにレースは続く。見るに見かねたのだろう、「中嶋悟は15位に上がっています」と解説の今宮純さんと、森脇基恭さんがフォローしてくれる。僕はただそれに「中嶋は現在15位！」「はい、はい、そうですね」と相槌を打つだけ。解説と実況の立場が、完全に反転していた。

あとから巻き返そうとするものの、そもそもの基礎知識が不十分だから、適切な実況ができない。そのくせ、「実況を任せてもらったからには、おもしろいことを言わねば」と思い、予め考えてきたとおりに**「西洋の靴を初めて履いた坂本龍馬のように」**と、中嶋悟の幼少期のエピソードを得意げに披露する。さらには、マクラーレンのマシンを**「マルボロの箱を足でグッと踏み潰したかのよう」**と表現する。

こういうのは準備というベースの味つけのあとの調味料、F1ファンは調味料の料理を供されている。自分の喋りが、実況という言葉のサーキットの路面をまったくグリップしないまま、上滑りしていた。

それはもう、悪夢でしかなかった。思い出すと今でも冷や汗がにじむ気がする。

言い訳をするつもりはないが、放送前、F1や自動車の関係者からは「古舘さんの役割はF1の裾野を広げること。F1に詳しくないからいいんです」と応援されていた。

しかしブラジルグランプリ放送後、フジテレビには、怒り狂ったF1ファンから1200もの抗議電話が寄せられた。「F1は古舘のトークショーじゃない」「古舘を降ろせ！」――それに対し僕は返す言葉もない。

実況という立場にあるにもかかわらず、僕は、このスポーツの醍醐味も厳しさも十分に知らない、まさしく準備不足なままで、こともあろうに「気の利いたこと」を言うことばかりに意識が向いていた。

いわば自分のトークの土俵に、F1という広大な村を、謙虚さのかけらもなく強引に引き込もうとしていた。スイカを丸ごと口の中に入れようとしていた。そんなものがF1ファンに受け入れてもらえるわけがない。失敗も失敗、大失敗である。


それでも仕事は続く。自ら招いた大失敗の傷を癒やす間もなく、僕はブラジルからフランスに飛んだ。当時、司会進行を務めていた歌番組「夜のヒットスタジオDELUXE」の2時間生放送でパリから中継する仕事が入っていたからだ。

自分の準備不足のせいで殺到した抗議電話のことも耳に入り、打ちひしがれたままの「夜ヒット」の生中継は、正直、ひたすらつらかった。無理やり笑顔を作って何とか乗り切るしかなかった。

ちょうどそのころ、僕の口内には、かなり進行した虫歯があった。そのズキズキとした痛みが、いつまでも重苦しげに「ブラジル、ブラジル、リオデジャネイロ、コパカバーナ……」と訴えかけているようで、花の都パリにいるのに、全然「パリ！　パリ！」にはならなかった。

●失敗の元は、プロレス実況で「味をしめた」テクニック

テレビ朝日のアナウンサー時代、僕は、プロレスの実況をやっていた。フリーになって初めてのフジテレビＦ１実況で大失態を演じる前のことだ。

試合前にレスラーたちのことを丹念に調べていると、いろんなキャッチフレーズや状況描写が思い浮かぶ。それらをズラリと脳内と手元のノートに半分ずつ並べた状態で放送席につき、試合が始まったら、隙あらば矢継ぎ早に繰り出す。たとえばマスクメロンの名産地で開催された試合で、アントニオ猪木が絞め技をかまされたら、

「**マスクメロンで知られるこの地でありますが、あの表面の模様は毛細血管か。今、猪木の首筋の静脈が、まさにマスクメロンのように浮き上がる……！**」

といった具合。ちなみに今のは、自分が喋ったことを逐一覚えているわけではないから、かつて

のプロレスの試合を懐かしく思い浮かべながら即席で作ってみた。当時も、こんな感じでフレーズを思いついては脳裏とノートに書き付けて、本番に臨んでいたわけだ。

こうした実況スタイルは当初こそ空回りしていたが、やがてメディアで取り上げられるようになり、世間でもおもしろがってもらえるようになった。「古舘伊知郎」という実況アナが、これをもって世間に認知された。自分なりに準備したことを何試合もの実況でアウトプットし、自信をつけていたのだ。

そう、プロレス実況で確立した自分のやり方に、僕はすっかり味をしめていた。それが初めてのＦ１実況での大失敗につながったのだと思う。今思えば大失敗は成功への準備なのだ。

プロレスとモータースポーツとでは、まるで勝手が違う。

プロレスの試合は、たびたび膠着状態になる。たとえば、グラウンドの寝技の応酬になったとする。そこでスリーパー・ホールド（首絞め／チョーク）が入ると、仕掛けられた側はグッと首を絞められながら必死で耐えることになる。

そうなると動きが少なくなり、その間尺を使って実況では大胆なことを言えたりするのだ。それこそ、さっき挙げた「首筋のマスクメロン……」とか。むしろ大胆な表現を入れることで、その膠着状態を盛り上げることができる。

　でもＦ１は違う。絶えずマシンが高速のコーナリングで走り続ける。その一方でスタート直後の第1コーナーで、まさかのアイルトン・セナが接触して一時離脱してしまったりもする。

　つまりＦ１とは、迫り来る現実を一切シミュレーションできない実況泣かせのスポーツ。そこで求められるのは、とにかく、刻々と移り変わるレースの模様を克明に実況すること。「実況」アナなのだから当然だ。

　自分の脳内にある表現を隙あらば繰り出す、そんな「間《あわい》」を狙っている場合ではない。事前に用意したフレーズを入れるタイミングを「今か、今か」なんて待ち構えていては、その時点でレースの状況から引き離されてしまう。

　プロレスはプロレス、Ｆ１はＦ１、肉体のまんだら芸術と人間とマシンのまんだら絵、アナログとデジタル、まったく構えと作法は違っていた。

　すべてのスポーツに個別の理《ことわり》があり、その後も世界陸上女子マラソンに世界水泳にとさまざまなスポーツの実況を担当してきたが、そのどれもが当たり前に違う。それぞれの時間の流れ方や因果関係があることを痛感した。もし水泳の実況で資料を読んで気の利いたフレーズを差し込もうとしたら、「**北島康介！　すでに資料を読んでいる段階で、金メダル獲得！**」なんてことになるから、最低だ。

初めてのＦ１実況で、僕は、まず基本の準備が圧倒的に足りていなかった。そのせいで混乱に陥った挙げ句、「自分の表現をすること」に逃げてしまった。未知の課題に取り組むときには、過去の経験をすべて捨て、虚心坦懐、一から地道に学ぶこと。これは、プロレス実況で自信をつけたがゆえに大失敗したことで得た、最大の学びである。

●死にもの狂いの1年間――Ｆ１村の住民票を得るために

さて、１９８９年ブラジルグランプリの後、僕は心を新たにした。Ｆ１という広大な土地に踏み入り、その住民となる。そのために、全身全霊をもって、この世界最高峰のモータースポーツを理解しようと覚悟を決めたのだ。

昔、局アナ時代に先輩アナに聞かされた深い言葉を思い出した。

「オレは自動車レースの実況を単発で任されたとき、トロッコの歴史から入ったよ。それが基本

だと思ったから」

僕は隈なく資料を読み込み、基礎の基礎からコツコツと勉強した。実際に試験員の低速走行に乗せてもらったりもした。「エンジン」「ブレーキ」「タイヤのアライメント」「スペイン・ヘレスのテストで新型サスペンションを搭載」などのマシンの構造や機能、さらには「鈴鹿サーキットのコーナー130Rが云々」といったレース環境のことなども、一つひとつ勉強していった。

自分の知らない世界を、ひたすら懸命に吸収しようとした。もしかしたら、ほとんどかじったことがない未知の世界だったから、むしろぐんぐん吸いこめたのかもしれない。

さらに、当時はテレビ朝日を退職し、仲間とともに企画集団「古舘プロジェクト」を立ち上げて5年目。テレビ朝日時代から務めていたプロレス実況を辞めてから2年弱の後、「**喋りたい、実況をしたい**」と欲し続け、再びスポーツ中継の放送席に座るチャンスを得たのがF1だった。

テレビ局に所属しないフリーアナウンサーとしても、この仕事をくれたフジテレビに「古舘＝評判悪い。使えない」の烙印を押されるわけにはいかない。

隙あらばフジの実況担当の局アナが外部に奪われた座を奪い返そうとしている。

こっちも必死、F1村にすっかり移住するつもりで準備に準備を重ねながら、1年間、世界中を巡った。

今のＦ１放送は実況・解説もスタジオから届けることが多いようだが、当時は必ず現地から行っていた。だから、実況でブラジルへ、ヨーロッパへと飛び、レギュラーで持っていた番組のために日本に戻る。そしてまたヨーロッパへ飛び、日本へ戻ってレギュラー番組の収録……そんな目まぐるしい日々の合間で、とにかく準備を重ねた。

死にもの狂い――あの1年間を振り返ると、まさにそんな心境だったと思う。坊主になって一から出直す気持ちだったし、いざ現場に出たら何でもやるつもりだった。ブラジルであれだけの失敗をしたのだから、テレビ局にもワガママは言わない。言えるはずがない。


ひときわ記憶に残っているのはモナコグランプリだ。

モナコ公国といえば、モンテカルロの美しい港街、キラキラと光る地中海……だが、そんな景色を堪能する余裕は、僕にはない。僕が見たモナコの海は、世界約60ヶ国の中継車がぎっしりと詰まっているテレビ村で、椅子も置けないほどに物がひしめき合った敷地に並ぶ仮設トイレの20センチほどの隙間から、かろうじてほの見えた文明の母なる海、地中海。

その縦長の景色を眺めながら弁当を食べる。添えられたサラダを見ると、ゆで卵と黒いオリーブが入っていて、「ニース風サラダだ!」と喜んだものの、モナコの隣はニース。ニース風も何も、要するに地元のサラダである。バカ丸出しでトイレの扉を見ながら弁当を食べつつも、「今が正念場だ」と己に言い聞かせる。

ムニャッとした食感にハッと我に返って手元を見ると、フォークにイモムシが刺さっていた。だが文句なんか言ってる場合じゃない。「まあ、オーガニックだ」と己に言い聞かせる。それが、1989年5月の僕の現実だった。

丸々太ったイモムシを噛んだあの食感は今でも覚えている。ブラジルの失敗があったから、「屈辱を晴らせないモナコ」として、記憶に刻まれた。

そんな1年を過ごした翌1990年。F1世界選手権の開幕戦はアメリカ・フェニックスで開催された。アイルトン・セナとジャン・アレジが接戦を繰り広げたこのアメリカグランプリで、僕は何とか及第点の実況をやりおおせたと思う。

マクラーレンMP4/5Bというマシンの後ろに「バットマン・ディフューザー」が付いたという説明。ホンダの後藤治総監督について。自分でも、マシンからコース、市街地までしっかりと克明に実況できたという手応えがあった。

セナとアレジが接触しそうになったときは、思わず「**危ない！　危ない！　昨年を思い出して危ない！**」と叫んでいた。１年前、危なかったのは自分だった。

何より、視聴者の反応が違っていた。

昨年は怒りでいっぱいだったF１ファンたちも、今度は「古舘伊知郎、よく勉強したな」「なかなかやるじゃないか」と概ね好意的だった。

この村の住人たちに、「古舘はしばらくここに住むんだな」程度には認めてもらえた気がして、うれしかった。F１村の住民票をもらえた気分だった。

さらに１年が経つ頃には、すでに日本でもF１人気が爆発的に高まっており、「このF１ブームを盛り上げているのは古舘だ」とまで言ってもらえるようになった。そうなると、すぐに調子に乗る性格の僕だ。だいぶ気を良くして、プロレス実況よろしくドライバーたちにキャッチフレーズをつけたりと、自分の表現を取り入れるようにもなっていった。

ハリウッドスターばりのルックスを持つフィッティパルディには「**顔面トム・クルーズ、クリスチャン・フィッティパルディ。顔面が似ていなかったら、いったいどこが似ているというのか**」。ウケ狙いのフレーズに自分でツッコミを入れる余裕もできた。

そして、有名になった**「音速の貴公子　アイルトン・セナ」**というフレーズも生まれた。

結局、あまりにも突然、あまりにも悲しいセナの事故死を受け、急激に意欲を失って辞める1994年まで、僕はF1の実況を務めた。それは、ストレスもすごかったが、喩えようもないくらい密度が濃くて、僕にとっては非常に重要な、いい経験を積めた6年だった。

そう考えると、最初の最初、あのブラジルグランプリで起こった悪夢は、つくづく「失敗」という「準備」だったといえる。

苦しく悔しく、決して気分のいい体験ではなかったが、そこからの数年こそが、僕にとって大きな転機になったことは間違いない。確かな手応え、仕事の広がり、おそらく世間的な評価……そのすべてが、あの手痛い失敗から始まったのだ。

●「準備」は「本番」、「本番」は「超本番」

プロレスやF1などのスポーツ実況、トーク番組や歌番組の司会進行、さらには自分ひとりで喋りまくる「トーキングブルース」と、さまざまな形で「人様に向かって喋る」ということをしてきて、思うことがある。

それは、「**準備は本番である**」ということだ。

「準備は本番である」は僕の準備学の中心にある考えだ。今から、そのココロを話していく。

「トーキングブルース」に向けて、僕は綿密に準備をする。

まず、テーマ決めからトーク全体の流れまで構成作家と打ち合わせを重ね、A4サイズのコピー用紙にメモしていく。

最初は黒ペンで書き、何となく喋ることが定まってきたら、「この話題はもう古くなっちゃったから、こちらに差し替えよう」「ここは、もうちょっと盛り上げてもいいんじゃないか」という視点から赤ペンで重ね書きする。さらに青ペンでも同様に重ね書きしたら、今度はまた別の色のペンを探してきて、喋る順番を書き込んでいく。

こうして全体の構成が練り上がったら、稽古という準備段階に進む。

初日を迎える数日前になると、関係者の前で、本番さながらの通し稽古だ。そこでは、必ず何かしらの失敗が起こる。メモどおりにいかない、言葉がスルスルと出てこなくなるなど、本番前の稽古では必ずエラーが生じる……と言うとドキッとされるかもしれないが、僕にとってはそれが「通常」なのだ。

このときの僕の意識は、**「ああ、〝最悪の本番〟をやっているな」**。

決してネガティブな意識ではない。「最悪の本番」をお客さんの前、本当の本番でやるわけにはいかない。だから、前倒しして「最悪の本番」をやっておけばいい。あとは、それに比べればダメじゃない本番が待っている。すでに経験済みの失敗を踏まえて、より良くなるように公演に臨むだけだ。

仮に初日を迎える３日前から通し稽古が始まるとしたら、それは失敗だらけの「ダメな本番」を３日間もできるということ。当日は、それよりはマシな本番をやるぐらいのつもりでステージに立つ。それだけで、その３日間よりずっといいものを見てもらえるのだ。

というわけで「準備」は「本番」。では、本当にお客さんの前に立つ本番は何か？

僕は、いわゆる「本番」のことを**「超本番」**と呼んでいる。

読んで字のごとく、「本番」と思って臨んだ「準備」を経て、それを「超える」から「超本番」。

そのとき何を考えているかというと、失礼を承知で白状させてもらえば、意識の一部は次の舞台に向かっている。

「本番」と思って「準備」に臨むからこそ、そこでの失敗を踏まえて、より良い「超本番」ができる。ただし「超本番」でもエラーは生じる。他方、いいところもたくさんある。それらすべて――エラーも良かったところも、全部が次の舞台の糧となる。

つまり、「超本番」もまた、次への「準備」。こうなるともう、準備という本番も超本番も、もっといえば生きること自体が丸ごと準備であるといっていい。そして、人生とは死への準備という真理が少し見えてくる。

僕らの人生は準備で構成されている。ならば、いい準備がいい人生を作ると考えてもおかしくはないだろう。そしていい準備とは、「この準備が本番なんだ」と思って準備することだ。言葉のレトリックに見えるかもしれない。ただの精神論に聞こえるかもしれない。だが、これが僕の考える準備の重要な点である。

●「最悪の見本作り」に臆するな

すべてが次への「準備」になるのだから、どうせなら、みんな大失敗してみればいい。たとえば就職の面接だって、「落とされて上等」くらいの意識で向かってみたらいいんじゃないだろうか。

そもそも、せいぜい10〜20分程度の時間で自分というものを存分に表現し、「御社に必要な人材です」とアピールすること自体、無理な話だ。さらにそれ以前の問題として、22歳くらいの時点では、自分の個性や強みがわかっている人のほうが珍しいだろう。

それに面接官だって、ナンボのもんじゃ、である。彼らだって何者でもないわけだし、ひょっとしたら面接をしながら別のことを考えているかもしれない。「自己アピールは？」と言いながら、頭の中では4割くらいは週末のワインに、地中海料理のことを考えているに違いない。

ならば、落とされても仕方ないという前提で面接に臨む。あるいは失敗を恐れないことで、むしろ他の候補者と横並びにならない印象的な受け答えができるかもしれない。

「そもそも私は自分の個性や強みがどこにあるのか、まだ発見すらできていません。こんな若さで発見できるものでしょうか？　面接官の皆様は、何歳くらいで自分の個性や強みを発見されま

したか？」

いっそ、これくらいのことを言ってみるのも手だ。数名の面接官のうち、ひとりくらいは変わり者がいて、「なかなかおもしろいやつだ」と推してくれるかもしれない……いや、それはどうか。おそらく、ただ生意気だと思われ、落とされる可能性のほうが高い。

無理もない。どんな面接官をも納得させるような平均的なアピールではなく、たったひとり、いるかどうかもわからない変わり者に向けてイチかバチかで挑むのだから、あっさり落とされても不思議ではない。

そのつもりでいても、実際に失敗したら傷つくのが人間というものだ。「落とされて上等」「しくじって上等」という心構えがあろうと、その心のどこかでは、やっぱり「選ばれたい」「うまいことやりたい」と願わずにいられない。

だったら、やっぱり、最初から成功するつもりで、成功するための準備をしたほうがいいじゃないかと思うだろう。

だが、それでも、あえて言わせてほしい。

大失敗という傷を負うつもりで取り組んだほうが、結局は自分のためになると僕は考えている。

「落とされて上等」の就職面接であれ、「圧倒的準備不足」の実況デビューであれ、傷つくこと自体が貴重な経験であり、そこでしか学べないことがある。しくじってひどく傷ついたことが、やがては、その人の個性になる。

もし失敗を恐れて、小手先のコミュニケーションスキルばかり磨いていたら、みんなと同じような格好をして、みんなと同じようなことを言う、没個性な人間が出来上がるばかりではないか。だったら、どうせなら大きな失敗をやらかしてしまえばいい。私たちは人間であり、ＡＩではないのだ。

失敗を避けるために効率的に準備をするのではなく、失敗という傷を負う非効率性も含めて準備であるというのが、僕の考えだ。トライ・アンド・エラーを積み重ね、「うわ、やっちまった！」という「最悪の見本」もいっぱい作ってしまえばいい。

僕が１９８９年のブラジルグランプリでやらかしたから言うわけではないのだけれども、大きな失敗を振り返ってみて、改めてそう思うのだ。

成功は失敗の裏返し。最悪の見本があればこそ、最良の見本が見えてくる。そういう準備の過程を楽しむことができたら、なおよしだ。避けようもない失敗の数々を、「よーし、派手にやってやったぞ！」という手応えに変えていけばいい。

すべての失敗、すべての「最悪の見本」は今後の人生の壮大な準備のワインセラーで寝かされて熟成されていく。そうして向かう先には、傷ついた分だけ、以前よりも今現在よりも磨かれ、成長した自分がいるはずだ。

●自分を追い込み、傷つけ、磨き上げていく

以前、福井県鯖江市に本社を置くメガネ工房の方に、セル・フレームを作る工程について伺ったことがある。１５０もの工程を経て、石油から生成したプラスチックを眼鏡のフレームに仕上げていくという。工房の方は、その中のある工程を「セルを傷つける」と表現していた。「磨く」とか「整える」とかではなく、「傷つける」。当然のようにそう言われて、最初は何を言っているのかよくわからなかった。

しかし、よくよく話を聞くうちに、たしかに「傷つける」なのだと気がついた。「磨く」とは、「細かい傷をつける」ということなのだ。

たとえば小学校の図工の時間。紙やすりを使って、木材の表面をツルツルに磨き上げた記憶のある方も多いだろう。あるいは、爪磨きでもいい。どちらも、ザラザラとしたやすりを使う。これはつまり、細かい傷をつけることで磨いているのだ。

ただの素材が無数の細かい傷をつけられ、ピカピカ、スベスベに磨き上げられる。これは人間にも当てはまることだと思う。

何かに向かって必死に準備する。これは自分に無数の傷をつけるということだ。さらには、さんざん準備してもなお、本番でしくじる。当然、ここでも傷つく。だが、すべての傷が自分という素材を磨き上げることにつながっている。

準備とはつまり、自分を追い込み、進んで傷つき、磨き上げていくことにほかならない。

筋トレだって、筋肉細胞を酷使していったん傷つけ、そこから回復させることで筋肉を鍛えるというプロセスだ。その肉体の主である自分の内面もまた、自ら追い込み、進んで傷つくことで成長していくのである。

今、若い人たちの間では「傷つきたくない」という傾向が強くなっているらしいと聞く。本当だろうか。だとしたら、僕はちょっと批判的にならざるをえない。

無数の傷をつけることなくして、自分は磨かれないだろう。傷つけられることを恐れていては、成長することもないだろう。傷つくことを避けながら、「コスパよく、タイパよく、効率的に『うまいこと本番をこなすスキル』だけ身につけたい」なんて考えるのも都合が良すぎるのではないか。

己を傷つけ、他者からも傷つけられ、時には自身も誰かを傷つけてしまう。家族、友人、恋愛、仕事、あらゆる局面で、人間はそうやって生きて耐性をつけ、底力をつけていく。僕自身、たくさん傷ついてきたが、すべては自分が磨かれるためだったのだと思うようにしている。そのほうが、何事も前に転がっていくはずだ。

アメリカの歌手、ボブ・ディランに「ライク・ア・ローリング・ストーン」という歌がある。「ローリング・ストーン」とは「転がる石」の意。

「転石苔を生ぜず」（仕事や住居を変えてばかりいる人は成功しない／常に活発に動いている人は時代に取り残されない）「転石苔むさず」（常に動き続けている人は責任から逃れている）など、先人たちは何かと「転がる石」に教訓をつけがちだったようだが、ディランが問いかけているのは、「ただ転がり続けること」の価値だと思う。

「もう失うものなんて何もない。君は今や透明で、守り隠さなきゃならないこともない。あの石のように、ただ転がっていく。孤独に、自由に。その気分はどうだい？」と。

石も転がり続ければ、無数の傷がついて磨かれる。もし傷を恐れて転がっていけないのなら、どこにも到達できない。だから恐れず転がっていこう。傷ついていこう。ライク・ア・ローリング・ストーン――転がる石のように、である。

第2章　「コスパ」「タイパ」なんて忘れてしまえ

――古舘式・非効率的準備術

●準備しなくていいのは、ひと握りの天才だけ

驚くべきことに、世の中には、ほとんど準備を感じさせない人もいる。

僕の知る限りでは、たとえば立川談志さんだ。もう亡くなってしまったけど、一時期、談志さんにはかわいがっていただいた。おかげで、弟子になったわけでもないのに、立川談志という稀代の噺家の凄みを間近で目撃できた。

そういえば、落語の世界では真打の噺家を「師匠」と呼ぶことがある。だが、あんまり誰も彼もが「師匠」って言ってしまうと、師匠のインフレが起きるじゃないか。僕は噺家ではないし、彼の弟子でもない。「おまえの師匠じゃないだろ！」という話だ。

だから僕は「師匠」とは呼ばない。あくまでも僕は、の話ではあるけれど、その人のことを本当の師匠だと思って尊敬しているからこそ、噺家・仲間内ではない僕は、「談志さん」と呼んでいる。

それでだ。談志さんの話だ。

談志さんいわく「努力とは、馬鹿のやる所業である」。努力という準備など「馬鹿のマスターベ

ーション」に過ぎないとまで言い切って、努力する姿を見せないどころか本当に準備をしない――と見せかけていた。そもそも努力してみないと馬鹿のやることはわからない。だから談志さんとて準備の前科三犯なのだと思う。

彼はある意味、「ぶっつけ本番、これこそ自分の準備」と自分に言い聞かせる「心の準備」を常にしていたとはいえるかもしれない。けれどもそれは、凡人である僕が語る準備学とは次元の異なるもの。やっぱり彼は準備を遠ざける、ひと握りの天才だった。

もちろん談志さんにも弟子だった時代がある。その頃は師匠からの口伝で必死に噺を覚えたはずだ。

だが真打となり、特に晩年になると、準備も何もなく高座に上がる。自宅を出て会場に辿り着き、衣装を身につけ、あの緋毛氈《ひもうせん》の上の座布団に腰を据えるだけ。あとは、その場で思いついたことを当てもなく話しつつ、すっかり頭に入っている噺を披露する。これこそ名人芸ではないか。

落語には必ず導入の「枕」がある。小噺から始め、頃合いのところでサッと羽織を脱いだら本編に入るという、古来の様式美だ。

ところが晩年の談志さんときたら、どうだったか。たとえば、あるとき伺った高座は、一言一句覚えているわけではないが、概ね、こんな具合だった。

「いやあ、とっちらかっちゃってねえ。まったくやる気がないです。今は家族と離れて寂しく暮らしているわけで……なんて話は聞きたくもねーだろうけど、噺家が噺をやりたくねえってんだからしょうがない。本番をやる気がない人間を、わざわざ金を払って見に来ている、あんた方はバカだ。なんて言っている俺が本当のバカなんだから、どうにもしょうがねー」

こんな話が当てもなく続いたかと思ったら、いつの間にか噺が始まっていた。枕ともいえない愚痴をくどくどと聞かされて、裏切られたと感じる人もいたかもしれないが、僕には、これが裏切りを含めた芸、サービスに見えた。一度期待値を下げて下げて、あとはおもしろさのリバウンドを誘うのだ。

噺家としての才能、そして常にカッコつけていたいという性格。それらが相まって、談志さんは史上稀に見る孤高の噺家として伝説を残したのだと思う。

そんな天才は、この世にほんのひと握りしかいない。談志さんみたいな本物の天才を間近で見てきたからこそ、僕は、痛いほどに自分の程度がわかっている。

僕は天才ではない。どれほどキャリアを積もうとも、必死の準備が必要な凡人であることには変わりないのだ。あえていうなら、準備好きの大凡人。

自分なんて大したものではないと認めるのは苦しい。だけど、そう認めることで、せっせと準備に勤しむことができるようになる。負け惜しみのように聞こえるかもしれないが、これこそ凡人の底力ではないだろうか。

僕も「トーキングブルース」という場で人様に喋りを披露しているわけだが、毎年、入念に準備する。談志さんのように「準備がないかのごとく本番をこなす」という域にはとうてい達していない。いや、永遠に到達できないだろう。でも、そのぶん、もうちょっとは生きて、まだ「トーキングブルース」もがんばれるかなと思っているところだ。

準備しなくていいのはひと握りの天才だけ。そして自分は天才ではない——僕も、おそらく、あなたも。そう認めることからすべてが始まる。

●準備に「やみつき」になるということ

第1章で、僕は「傷つくこと」こそ準備なのだと述べた。「磨く」とは無数の細かい傷をつけることである、と。

傷つくのは当然、楽しいことではない。苦しく、つらいことだろう。

そこで僕の次の提言としては、この苦しい準備というものに、ぜひ積極的に挑んで「やみつき」になってほしいのだ。

まず、コスパやタイパ重視で手っ取り早く成果を得ようとしないことだ。それだと準備のスケールが小さくなって、結果、得られるものも小さくまとまりがちになる。

遠回りし、時間をかけた濃密な準備のプロセスの中にこそ、お宝がいっぱい眠っている。それらを自力で掘り起こすには、効率、能率など度外視の「やみつき状態」になることが欠かせない。

準備にやみつきになっている状態とは、別の言い方をすれば、時間を忘れて没頭し、無我夢中で準備をしている状態。準備の熟睡状態だ。

脳は、我を忘れて夢中でフル活動させると、普段以上の能力を発揮するものだと思う。いつもは眠っている勘が働くようになり、小さなことに気づくようになったり、少し先の予測がつくようになったりする。

だから、準備の段階で調査や資料集め、イメトレなどを徹底的にして脳をオーバーヒート寸前にまで持っていくと、本番で普段以上の力を発揮できるはずだ。

2時間15分ぶっ通しで喋り続ける「トーキングブルース」では、このオーバーヒート寸前状態がずっと続くせいで、まるで焼き切れ寸前の、煙が出ているような状態になる。公演中は半狂乱。少し宙に浮いているような感覚だ。何ヶ所か意識や思考がパーンと飛んだり、脳と肉体の連携がまずくなって滑舌に悪影響が出たりする。

人間が1対900で向き合っているのだ。そこには快感もあるし、幸福感もあるし、たくさんのお客さんにお越しいただけてうれしいのだけれど、やっぱり等身大・実寸大の自分ではとても耐えきれない。もし、本当に素の自分になってしまったら、「すみません、失礼いたします。空席が見えるので、僕も客席に行かせていただきます」となってしまうだろう。

でも、その半狂乱でオーバーヒート寸前の異常な脳の状態で夢中でやっているうちに、まるで福音が降りてきたかのような瞬間が訪れるものなのだ。普段では作動しない予感が走るなど、特別な感覚になることが本当にある。

オーバーヒート寸前の状態を続けるのだから、いくらかは肉体にも精神にも休息が必要だ。でも焼き切れそうなまでに、準備にのめり込むと、思わぬ宝に巡り合える。

やみつきになれるほど準備が癖になれば、そこには「**苦しみの愉悦**」が生まれ、オーバーヒートしそうなほどの準備が楽しくなってくる。

ただし、オーバーヒート寸前になるまで脳をフル回転させるのは、そう簡単にできることではないかもしれない。慣れないうちは、まだ泳ぎを知らない子供のように準備の海でアップアップするし、苦しく感じることだってあるだろう。

僕の場合、特に「報道ステーション」のメインキャスターになりたての頃は、本当に苦しかった。プロレスやF1の実況でも、しばしば視聴者の厳しい声を浴びていたが、「報道ステーション」のそれはわけが違う。その都度傷つき、また、自分の言葉で人を傷つけてしまったことも数知れず。そんな中で最初の頃は「この苦しみからは永遠に抜け出せない」なんて思っていた。当然、その心持ちで向き合う準備も、苦しかった。

しかし、いつしか「本当に苦しいな」というときに、苦しみを楽しめる瞬間がポツポツと出てきたのだ。そうして、「あれ？　苦しいのも悪いことだけじゃないぞ」「いっそ、この状況を楽しんでしまえ」と思えるようになった。

解剖学者の養老孟司先生にある時いただいた言葉にも、影響を受けている。

「古舘さん、たとえ苦しみのどん底だと思っても、それは本当のどん底じゃない。その証拠に、まだ下を掘れるでしょう？　まだまだ掘りゃいいんです」

確かにそうだ。掘ればいいのだ。ここから抜けられない、底辺だと思うなら、まだまだ掘って掘って、掘ってやろう、と。明けない夜はない。ならばいっそ開き直って、とことん付き合ってやればいい。

アスリートが大会の前に「楽しみます」と言うことがある。昔は、「遊んでいないで真剣にやれ！」なんて言われることもあったが、近年は受け入れられるようになった。

あのアスリートの言葉も、準備の苦しみを楽しむことに通ずるものがあると、僕は思う。

トレーニングの一つひとつ。背中にのしかかるプレッシャー。苦しくないわけがない。だけど、その苦しみと向き合って夢中でのめり込んでいるうちに、楽しくなる。いや、楽しめるようになるのだ。

そうして、それはやめられない愉悦になっていく。「苦しいことはわかっているんだけど、でも楽しいから、またやっちゃおうかな」と。

どうか、あなたも**「準備ジャンキー」**になってほしい。準備に夢中でのめり込んでいるうちに、いずれ、そう思えるようになるはずだ。すると不思議なもので、苦しい中でもポツポツと楽しくなってくると、やがて神経が研ぎ澄まされてきて、思いもよらぬ宝に気づけるようになる。

だから最初は効率が悪いように思えても、オーバーヒート寸前になるまで準備を繰り返してみてほしいのだ。それこそ準備に「やみつき」になったら、もう勝ちである。

●自身に潜む「コスパ・タイパ教」にご注意を

「コスパ」「タイパ」という言葉をあちらこちらで聞くようになった。

仕事の話とは限らない。たとえば睡眠ひとつをとっても、「良質な睡眠を得られる一番手っ取り早い方法」なんて謳い文句をよく目にする。だが実のところ、こうした効率性重視のメソッドで救われない人も多いのではないか。

僕自身、効率的に謳われる「良質な睡眠」のノウハウではどうにもならない人間だ。だから、毎日2時間近くを使って、入念に睡眠の準備をする。

まず、お風呂も脱衣所も電気を消して、アロマキャンドルをつけ、ぬるい湯船に15分。バスタブには細かなバブルを発生する装置までセット。まるで乙女か、ひとりハロウィンだ。しかも、何もしないで15分も浴槽にじっとしていられないものだから、スマートフォンでどうでもいいTikTokの動画を見る。体が温まってあがったと思ったら、今度はNetflixでC級もいいところ、清々しいほど既視感たっぷりのつまらないドラマを見る。そうしてあらゆる集中力を解放して眠気をナビゲートし、ひとり布団に潜るのだ。

ここまでやって、ようやく襲ってくる睡魔。「**睡魔・幕の内弁当**」である。

体温調整もいい具合、頭もゆるんで超熟睡。しっかり時間をとって、根負けして眠りに入る。効率なんてものとは無縁の睡眠導入法だが、さまざま試してきて、今はこれが僕の最適解なのだ。どんなノウハウも効かなかった不眠症の方は、一度試してみてほしい。


それで、なんの話だったか。準備と効率性の話だ、睡眠ではない。

世の中には、「万能」など存在しない。

準備のノウハウにしても同様である。「効率的な準備術」の本なら、すでにたくさんある。でも、そのメソッドではどうにもならなかった人もいるだろう。そんな「効率性重視の一般論から、あぶれてしまった勢」のために、僕は本書を書いているといっていい。

むしろ僕は、効率性至上主義は、まだ見ぬ宝を見過ごさせる悪魔だと思っている節すらある。だから、もし本書を参考にしようと思ってくれたのなら、どうか、効率性の悪魔に惑わされないでほしい。

そのためには、まず「この世はおもしろいことばかりではない。むしろ、おもしろくないのが世の本質なんだ」と認識しておくといい。だからお笑いが全盛なんでしょ。だから人はお酒を飲むんでしょ。

おもしろくもない世の中を泳いでいくのは楽ではない。こう割り切って、もう楽をしようと思わなくなれば、近道を求めなくなる。効率性を求めるアンテナを脱ぎ捨てることができる。むしろ、本来はおもしろくないことも、苦しいことも、いっそ楽しむのがいい。

明日が日曜日で、ディズニーランドに行くとしよう。前夜から、「明日は思いっきり楽しむぞ」とワクワクだ。非日常に向けて、あれを持っていこう、このアトラクションに乗ろう、そうだチュロスは絶対食べよう……と楽しみながら準備する。もう、心はディズニーランドだ。

一番楽しいのは、この準備をしている土曜の夜ではないだろうか。小さな子供ならワクワクと興奮して、なかなか前夜に寝付けないということもあるだろう。ファンタジーの世界は、現実よりも、夢を馳せている時間のほうがよりファンタジーなのだ。

準備だって、「ディズニーランド前夜」と同じだ。僕は、その感覚を目指すために準備を続けている。「**準備バブル**」である。ただし、このバブルは弾けない。弾ける前に次の準備に進んでいけば、ずっと楽しんでいられるのだから。

僕は毎年、「トーキングブルース」の準備に半年ほどかけている。

もし僕が天才だったら、1週間くらいで準備を終わらせてしまうだろう。わざわざ構成作家やスタッフたちとあーだこーだ言って、アイデアをさんざん出しまくった挙げ句に、ほとんどボツ。結局、2時間15分の尺に収まりました――天才なら、こんな苦労をせずに済む。

でも、僕は天才ではないし、さんざん遠回りして準備せずには本番に臨めない不器用な人間なのだ。だから、効率性なんてとっくに捨てた。その甲斐は十分なほどあったと、今は自信を持って言える。今は、苦しいけれど楽しい、楽しいけれど苦しい、そんな境地にいる。

さて、読者のみなさんはどうだろうか。迂闊にもコスパ・タイパ教に侵されてはいないだろうか。本書を手に取っていただいたのも何かの縁だ。折に触れ、「コスパやタイパばかり意識していないかな？」と自問してみるといいかもしれない。

●「悶々と悩んで答えが出なかった」、それでもいい

準備は一朝一夕にして成らず。

特に人生にかかわるような大事な問いほど、どれほど準備をして考えても、そう簡単には答えを出せないものだ。たとえば「自分とは」「自分の個性とは」なんて問われても、はたして自信を持って答えられる人がどれくらいいるのか。

しかし生きていると、無謀にも、その答えを出すことを求められる局面がある。就活の面接などが典型例だろう。

実際、これは多くの学生が就職活動で一番悩むところだと思う。たとえ何年生きていようと、そう簡単には答えられない問いに、20歳そこそこで向き合うのだから当然だ。むしろスラスラと

答えられる人のほうがどうかしている。

それでも何とか「それっぽい答え」を捻り出して、内定を取りたいというのが正直なところに違いない。

だが、ここで違うことを考えてしまうのが、天邪鬼な僕だ。答えを出せるかどうかは、本質的には重要ではない。答えを探し求めて悶々と悩む時間を持つことが、長い目で見れば一番の準備になるのだ、と。悶々と悩んだ挙げ句、答えが出なかったとしてもアリだと思っている。

むしろ、効率的に面接対策を進め、「面接官ウケしそうな答え」を準備して受かったところで、はたしてどれだけ自分は磨かれるだろうか。学べるだろうか。


内定という目先の成果にばかりとらわれずに、「よくもまあ、そもそも短い面接時間で自分をアピールしろとか言うよな」と、いったん俯瞰的に考える。

そのうえで「どうして自分のことなのに、わからないのか。きっといろんな自分がいるからなんだろう。だからと言って、いろんな自分がいるのでわかりません、答えられません、ではダメだよな……」なんてグルグル悶々と考える。

そういう時間のほうが、よほど自分を育ててくれる。

それで本当に何も思いつかなかったら、素直に「僕は要領が良いほうではなく、考えてきたのですが、すみません、答えが出ませんでした」と話してもいいではないか。僕のように立板に水で朗々と語ると嫌味に聞こえてしまうだろうが、たどたどしく誠実に話せば、好感につながる場合もあるかもしれない。

あるいは、ろくな答えを出せないまま、ほとんど要領を得ず、「はい、時間切れ。お疲れ様でした」で不採用となっても別にいいのだ。その失敗は次の本番にも、そのまた次の本番にも活かされるのだから。苦しみの過程のすべてが、結局は自分の糧になっていく。

もちろん、スピーチの類いが得意な手練《てだ》れのやり方というのもある。そういう術の指南本だって山ほどあるだろう。しかし長い目で見れば、小手先の技を覚えるより先に、ちゃんと真っ当に悩むこと、その価値や意義を知ることこそ重要な準備だと思う。

●準備の非効率性が本番を支える——リモート会議は効率的か？

コロナ禍で「リモート会議」というものが一気に増えた。一見、効率性アップにつながっているように思われるからか、人々が出歩くようになってからも便利に広く活用されている。ひょっとしたら、就職や転職の面接がリモート会議ということもあるかもしれない。

しかし僕は、リモート会議は、実際は効率アップにつながっていないのではないかと見ている。

「対面会議」だと、各自が電車などの交通機関、あるいは自動車で打ち合わせ場所に向かい、まず挨拶、そしてアイスブレイク的な世間話があり、ようやく資料を開いたりなんかして打ち合わせが始まる。そうして最後には、また世間話になったりする。

そうこうしているうちに、打ち合わせに割いた時間は正味1時間、だがトータルでは1時間半や2時間というのが通常パターンだろう。行き帰りの移動時間も含めれば、1つの打ち合わせに2～3時間は見ておかなくてはいけない。

それが「リモート会議」になると、まず移動時間がない。さらには全員の顔が画面に映し出されたら挨拶もそこそこに、世間話もなく本題に入る。こうして、ほぼほぼ正味1時間の打ち合わせだけで終わることが多いだろう。

対面と比べると実に1~2時間もの削減。これぞタイパ、なんと効率的で素晴らしい！　リモート会議、バンザイ！

――いや、本当にそうだろうか？

僕は、移動時間も含めた無駄な時間があったほうがいいと思っているのだ。

人間と人間が協力してひとつのゴールに向かうのが仕事だ。そのための打ち合わせの日に、家を出て移動する間、話し合う内容や相手に思いを馳せる。会ったらにこやかに挨拶を交わし、ちょっとした世間話で、仕事の話だけでは見えてこない相手の一面を垣間見る。

こうした無駄な時間、いわば「打ち合わせというひとつの本番に向かう準備の時」を共にすることが、互いの共通目的である仕事を円滑に進めることにつながっているのではないだろうか。

実際、「リモート会議」で一見、タイパは上がったものの、何だか物足りないとか、結局は直に会ったほうが何かと話が早いなどと感じている人も、きっと多いはずだ。

無駄な時間や労力そのものに目に見えるメリットがあるわけではない。しかし、一見、無駄な時間や労力を割いてでも、しっかりと準備をする。ひたすら行動し、思考することが、いい本番につながる。無駄は準備だ。僕はそのことを経験的に知っている。

効率的な本番は、非効率的な準備があってこそ成立しうる。つまり、「準備の非効率性」が「本番の効率性」を支えているのだ。裏を返せば、準備段階から効率性を求めすぎると、本番の効率性は叶いづらくなるということだ。

非効率的な準備には苦痛が伴うことも多いだろう。だがそれも必ず本番で報われるから、どんどん非効率的な準備に飛び込んでほしいのだ。

●一点突破・一点集中で徹底的に準備する

「準備の非効率性」について考えを述べてきた本章の最後に、誤解のないよう、話しておきたいことがある。それは、コスパもタイパも度外視した非効率的な準備と、ローラー作戦のようにまんべんなく平均的に行う準備は違う、ということだ。

効率性なんて忘れてしまえとは言ってきたが、何の考えもなしに漫然と、あるいは手当たり次第に準備せよとは言っていない。何かに向けて準備するにあたっては、準備のフォーカスを定めるなど、戦略めいたものがあってもいいと思う。

「ここ」と決めたことについて、徹底的に準備する。もしかしたら、こだわっているのは自分だけかもしれない。そんなニッチなポイントであっても、とにかく、そこに一点集中して準備を進める。そうすることで一点突破、大きく道が拓けることもあるのだ。

F1実況の苦い思い出となった1989年ブラジルグランプリの後の1年間、僕は必死の準備でF1の基礎知識を叩き込んだ。ようやく一人前の実況はできるようになり、F1の世界の住人たちにも受け入れてもらえた実感を得られたものの、まだ苦悩は尽きなかった。

特に、マシンのデザインには苦労させられた。シャーシのカラーリングやスポンサーロゴの入り方が毎年のように変わる。チーム間で打ち合わせなんてしないから、蓋を開けてみたらカラーリングが似ている、ということもある。

これらを瞬時に見分けなくては、どのチームのマシンに乗った誰が1位だの2位だのと実況できない。昨年とは違うカラーリングを施されたマシンが一瞬にして走り抜けていく。そんな光景を今でも思い出す。

さらに基本同じチームの同じマシンに乗り手が2人。F1パイロットのヘルメットのベースカラーは変わらないが、スポンサーのステッカーが毎年変わり、さらにそのヘルメット（選手）が毎年のようにチームを渡り歩くから、1年が終わるとマシンとヘルメットの組み合わせが変わる。だから一度脳内に入れた1年分の組み合わせをリセットして、新たなマシンとヘルメットの組み合わせを入れ直すのがつらかった。

放送席は、サーキットを広く見渡せる場所に設けられていると思っている人が多いようだが、それは違う。

実際は、世界各国の実況者がひしめき合う狭いブースで、小さなモニターを見ながら実況する。すぐ隣はイギリスのテレビ局がいて英語が、反対側はブラジルの実況でポルトガル語が、なんて環境だ。幸い、僕は英語もポルトガル語もあまりできず、ヘッドセットをしているから言語には気を削がれなかったが。

そんな条件下、時速360キロものスピードで走り抜けるマシンが小さなモニターに映っているのを、目で追いかける。目視できたかと思ったら、次の瞬間にはもう、モニターの端へと走り去っている。周囲では大声でいろんな言語が飛び交っている中、ほんの一瞬を捉えて実況しなければならない。

迫力あるレースを間近で観ていて、さぞ実況しやすいのだろうと思われがちだが、とんでもない。

あるパイロットがトラブルでコースアウトしている。だが、砂煙でマシンのカラーとヘルメットの色柄がはっきり見えないし、モニターはみなさんが見たらきっと「これで実況しているのか」と驚くであろうサイズ。状況をきわめてつかみづらい大変な環境だった。

状況のつかみやすさという点では、むしろ、旧フジテレビ内にあったサブコントロールルームの大きなモニターのほうが上だったはずだ。

しかも、その部屋にはフジテレビが雇ったＦ１オタクの学生アルバイトが詰めていて、コースアウトした砂塵の中、一瞬でドライバーを言い当てる。ちゃんとしたモニターで見ていて瞬時にマシンを識別できるものだから、すぐにテレビの中継画面にドライバーとチーム名のテロップを出す。

当初の僕は、そのテロップに後れを取ってしまっていた。必死でマシンを識別してドライバーの名前を叫んでも、それより先に日本のテレビ中継ではテロップが出ている。すると日本の視聴者の目には、「古舘は現場にいるくせに、テロップを見て実況している」と映る。

だが、現地の放送席で日本のテレビのテロップは出ていない。

そこから、である。僕は、フジテレビに詰めているF1オタクにだけは先を越されまいと決意し、各メーカーのマシンの「今年のカラーリングとヘルメットの組み合わせ」を完全に頭に入れるという準備をして放送席に入ることにした。まず、その一点にフォーカスして徹底的に準備をしたわけだ。

「トラブルか？　コースアウトか？　砂塵舞う中、リタイアはレイトンハウスのマウリシオ・グージェルミンだ」とテロップが入る前に叫ぶ。舌先のタイパを上げたのだ。

何もアルバイトの学生相手にムキにならなくても、と思われるかもしれないが、結果的には、このこだわりの準備が、僕の実況の質を劇的に向上させたと思う。まさに一点突破で、それまで、いまひとつウダツの上がらなかったF1実況の道が拓けたのだ。

まんべんなく準備をしようと思うと、むしろ無自覚なまま、コスパ・タイパを追求する罠に陥ってしまう。ローラー作戦のすべてを徹底的に遂行するのは難しいから、「さて、どこから潰していったら効率的だろうか」という発想がオートマティックに働いてしまう気がするのだ。

一方、一定の基礎知識を身につけたうえで、「ここ」と自分自身が見定めたポイントを徹底的に追究する準備は強い。入り口こそ狭くても、そこから一気に打開できる可能性がある。

第3章 「準備の奴隷」になるな、「本番の神様」に従え

――準備したものを捨てる勇気

●予定調和ではつまらない――「パワポの奴隷」になってはいないか？

2023年10月に放送開始された「キャリアドラフト　掴め、ミライ。」（ABEMA）という番組で、司会進行を務めている。

就職活動中の現役大学生が、約120社もの企業の人事担当者に向けて2分間の自己PRのプレゼンを行い、人事担当者が気に入ったら、その場でオファーを出すという「リアル就活番組」。その場限りの評価やアドバイスを与えておしまい、みたいな中途半端なものではない。

企業が出すオファーは、「ぜひ我が社に来てほしい」という「シルバーオファー」と、「初年度の年収500万円以上を約束してでも内定の交渉をしたい」という「ゴールドオファー」の2つだ。

ある調査会社のリサーチによると、近年の日本企業の新入社員の平均年収は262万円。そんな日本企業の平均初任給の約2倍もの高年収の確約と共に、実在する企業にストレート採用される可能性が開かれている。学生さんたちが並々ならぬ覚悟と熱意でプレゼンに臨むのは言うまでもない。

企業の人事担当者はモニター越しにプレゼンを見ている。プレゼンをする学生の前には4名の名うての「面接官」が並び、人事担当者に代わって、プレゼンを終えた学生に質問を投げかけたり、感想を述べたりする。

面接官は期ごとに変わるが、元TBSアナウンサーで採用の経験も豊富な吉川美代子さん、かつて「小泉チルドレン」のひとりとして有名になり、現在は会社経営者の杉村太蔵さん、企業ブランディングを手掛けるトゥモローゲート株式会社の社長で、3000人以上の学生と面接を行ってきた人材のプロ・西崎康平さんなどだ。

そのプレゼンを司会ブースから見ていて気づいたことがある。

「**パワポの奴隷**」になっている学生が多いのだ。

プレゼンの形式は自由だが、ほぼ例外なくどの挑戦者も、会場の大画面に映し出されるパワーポイントに沿って行う。すると、少なくない学生が、予め準備したパワポの内容を追いかけることに一所懸命になって、「今、そこにいる自分」の言葉がなおざりになってしまう。自分が作成したパワポに隷属している。つまりは準備に隷属しているのだ。

だが、準備したとおりに話すことができたとして、それらの言葉に、どれだけ聞く者に訴えかける力があるのだろうか。行間に個性や何ともいえないニュアンスが宿ることを忘れてしまうと、

「2分間のプレゼン＝パワポの紹介」という印象が残ってしまう。

本当に人の心に響くのは、準備してきたことの外側で飛び出すナマの言葉の真剣味や真実味ではないだろうか。

用意してきたことをそのまま伝えるのは、しょせんは予定調和。その「出来合い」感は受け手にも伝わる。だから、優等生的ではあっても、人をワクワクさせはしない。予定調和の「外」の生きた言葉、言葉につまったときの間合いに宿る何かに人の心は動くのだ。

実際、「キャリアドラフト」の面接官からも、その点がしばしば指摘された。「プレゼン資料に書かれている内容と、ほとんど同じことを言っている。あなたが今、伝えたいことをプレゼン資料とうまく組み合わせてアピールしてほしかった」「人間味が感じられなかった」「正直、魅力が伝わってこなかった」――まさしく予定調和「外」でナマの言葉を発してほしかったということだろう。

そして現に、「ゴールドオファー」（もちろん、なかなか出ない）を勝ち取るのは、決まって、パワポを追いかけることに終始せず、ナマの言葉でも語ってみせた学生なのだ。おそらく企業の人事担当者は、その場で真っ直ぐに届いてくる言葉からにじみ出てくるような人柄を感じたとき、

「この人と働いてみたい」と思うのだろう。

●頭に余白を作る――「用意」と「準備」

では、パワポは不要なのかというと、そういうわけではない。

今では、プレゼンに欠かせないツールのひとつだろう。実際、自社内の企画会議や他社での商談、プレゼンなども、パワポを画面に映し出しながら行うケースは多いと思う。

みんな念入りに準備をしていることは想像に難くない。1枚目にはこの写真を入れて、そこで、こんなふうに話しながら手元のコントローラーを操り、この文言がバーンと表示されるようにして……などなど。きっと予行演習だって何度も重ねるはずだ。

しかし、いざ本番となったときに、すべてが予定どおりにいくとは限らない。

「本番の神様」はいたずら好きだ。そのせいで、あれだけ練習したのに言うべき言葉をトチったり、表示されるべき文言が表示されなかったり、はたまた急な機材トラブルでパワポがフリーズしてしまう可能性すらある。

すると「パワポの奴隷」になっている人は、パワポと一緒にフリーズしてしまう。頭が真っ白になって、軌道修正しようと焦れば焦るほどグダグダになり、あっという間にタイムオーバー。いくら悔やんでも悔やみきれない始末となる。

さて、ここで僕からの問いだ。

悔いの残るプレゼンで反省すべきところがあるとしたら、何だろうか？

機材トラブルだったら、機材を恨むか。そんなことしたってしょうがない。昨今、流行りの生成ＡＩだったら「申し訳ありませんでした。以後、気をつけます」なんて言うかもしれないが、普通の機械は反省などしない。

では、反省すべきは自らの準備不足だろうか。本番前の見直しが、練習が、あと1回でも多ければ、準備は完璧となり、完璧な本番をこなすことができただろうか。いや、これも違う。何度内容を見直し、何度練習したところで、不測の事態が起こるときは起こるものだ。それを完全に防ぐことはできない。

足りなかったのは、確かに「準備」だ。

だが、それは**「用意したものを削るという準備」**、さらには**「準備したことすらも頭の片隅に追**

いやるという準備」なのである。

僕は準備を「用意」と「準備」の2つに分けて考えている。

まず、できるだけ用意する。資料を集め、言葉を練り、パワポやカンペを作り込むのは「用意」だ。

もちろん、パワポなり、動画なり、写真なり、資料の用意はとても大切だ。ただし、そのままで本番に望むと、予定調和にとどまって「パワポの奴隷」になってしまい、行間に個性やなんとも言えないニュアンスが宿ることを忘れてしまう。あるいは、不測の事態に対処できずに悔いが残ったりする。

だから、できるだけ用意をしたら、今度は用意したものを削っていく。

「捨てるなら最初からいらない」ではない。最終的に捨てることになっても、まずはしっかり用意・準備すること。用意していないと、捨てるものも捨てられないのだ。さんざん用意・準備するからこそ、捨てるという選択肢が生まれる。

資料を用意し、何度も何度も見返しているうちに「これは、いらないな」「ここは説明に追われてしまうから、飛ばそう」「このスライドは、内容以上にうるさいな」「ここまでやると、トゥーマッチな印象を与えちゃうな」という勘が働くようになる。そういったところは、どんどん捨てていく。パワポを用意し、自宅で練習をしているときに、半分以上を捨てる。つまり、用意の断捨離。これが「用意したものを削るという準備」だ。

人情としては、「こんなに用意しました」ということを見せたくなるものだろう。パンパンに詰まっていた資料がスカスカになるのは不安でもあると思う。自信がないほどに、用意したことのすべてを開陳したくなる。それは僕にも痛いほどわかる。

けれど、その不安になりながらも作った空間こそ、本当に自分をアピールできる喋りのスペースだ。ギュウギュウに資料を用意するよりも、その余白で何を語るかを考えたほうがいいのだ。

確かに勇気は必要だけど、思い切って削ってしまおう。

さらに本番が近づいてきたら、用意を削ぎ落として整えた「準備」すらも頭の片隅に追いやる。これが最終段階の準備だ。後に残るのは「だいたいこういうことを伝えたい」という要点のみ。それだけを頭に念写する。

こうして、用意したもの、準備したもので頭の中を一杯にしたままではなく、頭を「余白だらけ」にした上で本番に臨んだほうが、予定調和に陥ることなく、より人心に届くアウトプットができるのだ。

不測の事態にも強くなることはいうまでもない。

たとえばパワポがフリーズする。それと一緒に自分もフリーズする。言葉が出てこない。

でも「用意したものを削る」「準備すらも頭の片隅に追いやる」という準備をしていれば、その刹那、単なるツールに過ぎないパワポのことなんか忘れ去って、自らナマの言葉で語り出すだろう。訥弁《とつべん》だっていい。たとえ淀みなく話せなかったとしても、その場、その時の自分から繰り出される言葉には、人に訴えかける力がある。


本番には本番の空気が流れている。大事なのは、その空気にうまく乗りつつ、伝えたいことを伝えること。当日、その場に立ったときの自分の言葉こそが一番効果的なのだ。

いうなれば、**「言葉の一輪挿し」**——簡素な茶室に設えられた一輪挿しの花のごとく、用意と準備を極限まで削ぎ落とした末に出てくるひと言は、ささやかでも忘れがたい鮮烈な印象を相手に残すだろう。

●F1の現場で知った「本番のいたずら」

F1のレーシングカーのコンストラクター（チーム）には、必ず「風洞実験室」という部屋がある。巨大な扇風機が設置された大きな部屋だ。

ここに最新の空気力学の粋を集めたマシンを固定し、扇風機の強風を当てながらコンピューター操作でアクセリングとブレーキングをワンワンと繰り返す。走行中の車を地面に押し付けるように作用する力である「ダウンフォース」の増強と、空気抵抗の低減を図るのだ。ダウンフォースが弱すぎると、マシンはサーキット上で舞い上がってしまう一方、空気抵抗は抑えれば抑えるほどスピードは速くなる。この両方の調整を風洞実験室で行っている。人間でいうところの「脳トレ」。この段階は「準備」ではない。「用意」だ。

そうして風洞実験で用意を重ねて、ようやく実際のサーキットでテスト走行をする段となる。テスト走行は本番に向けた「準備」だ。しかし、どんなに風洞実験で入念な用意をしても、実際にサーキットを走らせてみると、風洞実験室とはまったく違うことがしょっちゅう起こる。

これを、エンジニアたちは「**物理のいたずら**」と呼んでいた。

外界から閉ざされた風洞実験室は、いわば「物理学の世界」だ。物理の法則から外れる現象は起こらないから、エンジニアも物理の法則に従ってマシンに調整を加える。計算どおりの実験結果が出る。

しかしサーキットは違う。外界では風も吹けば雨も降るし、塵芥《ちりあくた》が溜まっているところもある。こうした「実験室にはない変数」が加わった状況では、実験室とは違うことが起こる。実験室を世界だと思っていると、そこと異なることが起きたときに「いたずら」された気がしてしまうのだ。そこで今度は、サーキットでの調整が始まる。

では、サーキットでさんざんテスト走行を繰り返し、調整を加えれば、本番はテスト走行とまったく同じパフォーマンスになるかといったら、違う。そこでは「本番の神様」がいたずらを働くのが常だ。

本番では、その瞬間、瞬間、起こることに臨機応変に対処しなくてはいけない。一瞬たりとも「風洞実験室ではこうだったのに」「テスト走行ではこんなこと起こらなかったのに」なんてボヤく暇はない。

だからといって風洞実験室での実験が無駄だったわけではない。テスト走行もしかり。

さんざん風洞実験をして「実験室での結果」を膨大に得たからこそ、テスト走行で実験室の結果「外」のことに対処できる。さんざんテスト走行を繰り返したからこそ、本番がテスト走行どおりにいかなくても、経験の蓄積によってさまざまなケースを断捨離でき、不足の事態に対処できるようになる。どんなに準備しても「いたずら」はゼロにはならないが、テスト走行と本番のギャップをできる限り縮めることはできるのだ。

これは、あらゆる準備に通じる話だ。

たとえば、企画のプレゼンの用意をした。企画を通すために必要な情報などを可能な限り詰め込んだ完璧な資料ができた。しかし、その状態で企画会議に臨むのは、風洞実験室から本番のレースに直行するようなものだ。さまざまな変数が入り交じるサーキットをいきなり走るのは、危険ですらある。

あるいは、家でさんざん練習しているかもしれない。けれどそれは、風洞実験室での練習に過ぎない。家と本番のプレゼンは、環境が違いすぎるのだ。だから、その真ん中にテスト走行に当たるような練習を繰り返すといい。

実際の企画会議の場を想定しながら、プレゼンの練習をする。たとえば、家を出て夜の公園で練習する。あるいは友人や同僚を前に一度見てもらう。そこで、自分の世界の中だけで築き上げた用意を削ぎ落としていく。

これで準備が整う。だが、すでにみなさんおわかりのとおり、ここで練習どおりになると考えてはいけない。

本番では「本番の神様」が必ずいたずらを働いてくると思って、準備したことすらも頭の隅に追いやる。頭を余白だらけにする。それでこそ「準備の奴隷」を抜け出し、ようやく、その場の空気を適宜読みながら、相手にしっかり伝わるプレゼンができるのだ。

●全部は使えるわけでなくても、準備――F1実況で用意した資料たち

かくいう僕も、かつては「**準備の奴隷**」だった。

ドライバーの名前、プロフィール、マシンの色、チームの構成、サーキットの情報などをパンパンに詰め込んだ資料を放送席に持ち込んでいた。

すると、自分が作った資料にがんじがらめになる。目の前のモニターで繰り広げられているデッドヒートよりも、資料が気になって「あ、ここでこのコーナーの情報を入れなくちゃ」なんて

ことを考えてしまう。そうしている間にもレースはものすごいスピードで進むので、資料を読もうとするほどに実況はどんどん臨場感を失い、つまらなくなる。

こんな失敗も味わって、ようやく、資料を放送席に持ち込みはしても、その8～9割は読まないつもりで本番に臨むことができるようになった。

資料そのものも、ぐっと簡素化した。ドライバーやマシンの情報、自分が考えたフレーズなどを、できるだけ削ぎ落として1枚のシートにまとめる。それをレース直前に見直しながら、主要箇所にマーカーや赤丸を入れる。

シートを見直すのは、たいていは日本からF1開催国に向かう飛行機の中だった。一杯引っ掛けて勢いつけて仕上げようとシャンパンなんぞ飲みながらやっていたら、乱気流もあって酔ってしまい、気持ち悪くなってトイレに駆け込んだこともある。

そうして到着した現地。本番は、とにもかくにもレースに集中する。見たまんまを実況しながら、「あ！　ここはあの情報が使える！」「あのフレーズがピッタリだ！」と思ったときだけ、くだんのシートに記してあることを差し挟む。

何度もシートを見直す準備の最中に、なんとなく頭の中に地図みたいなものが出来上がっていて、どこに何が書いてあるのかは、すぐにわかるようになっていた。もちろん暗記していたものもある。

普段は準備のメモは取っておかない僕だが、当時のものを事務所が記念に保管してくれていた。決して人には見せないつもりだったが、本書で初めて公開しよう。

…戦 サンマリノGP
…ナの紳士協定破り事件.

フランスGP ⇒ プロスト離脱発表

…戦 イタリアGPを前に プロスト
…クラーレン入り発表!
…ン 歓迎のエール

…マクラーレンに対する不満表面化
…セナにひいきしている」また.
…タダネ再発! 何とプロストは
…トロフィーをイタリア、フェラーリファン
…しまう. これは宣戦布告と
…プロストのアクション

…ポルトガルGP. プロストと同盟を
…ルのセナ狙撃事件でタイトルは
…大きく傾く. セナ絶体絶命!
…今年WCになれば来季
…の契約フェラーリに来る
…来季のこれの座をかんがみた
…ズ…

○セナはマクラーレンに来るホンダドライバー
プロストは 〃 フェラーリドライバー
○鈴鹿逆バンクはマクラーレンの(鏡)守り神

セナ. ポイント(60) 優勝回数(6)(20) ポールポジション(40) (雨のセナ)

生いたち ⇒ 4才の時に父親にブリキのカートを与えてもらい
それが車との出会い.
すでに7才の時、街中を父親の車運転、警官に止められて
もハンドルを離さなかった.
7才の子供セナは → まさに5才で最初のコンツェルトを
8才で最初のシンフォニーをものにした、あのアマデウス・
モーツァルトだ.

○勝利の女神さえも追いつけない男.
○生まれついてのポールシッター
○白昼の流れ星
○神様のおかかえ運転手
○風を話せる男
○ゴールまでの直行便
○音速の貴公子
○バックストレッチで光となるセナ
○走る四面楚歌
○セナ追いつめられて 瀬の南
○光の詩人
○セナの一人旅?
○セナで泣いているセナ
○三途川ぞいを走る男.
ニキラウダの言葉
「セナは勇敢で 無礼で ち密である」

プロスト ⇒ (Gにかかる首 ⇒ 重力に逆らう、逆さニュートン)
○生身の形状記憶合金
○心にブレーキを持つ男.
○時速300kmのメトロノーム
○ドライでなくては生きてゆけない
○サーキットのナポレオン・ボナパルト、スズカがワーテルローとなるか?
○走る絶体安全カミソリ
○漁夫の利男
○ブルゴーニュが生んだ2代名物. ワインとプロスト
○後に敵を従えて 抜かせないで 悠々と走るのが得意
○無理をせず、他人の失敗を待って浮上
○プロストの前に道がなし プロストの後に道はない
○見えないレールの上を走るトレースマシーン
○アスファルトの声を聞く男
ポイント 76 優勝回数 4(39)

○彼が2才の時 初めて車というモ…
その時、彼の頬をなぜた風…
"牛にひかれて善光寺参り"…
○彼は体は小さく常にコンプ…
友人に自転車で負けたコン…
しかし、この頃、初めて兄のオ…
これなら勝てる" と実感し…
・又、小学生の時、生まれて初め…
○中学生の時、兄と横浜へカート…
に向こえたという 彼にとって…
○そして、F1ドライバーになっ…
まさに、横浜と同じカルチャ…
○彼は上へと昇る度びとまどい…
○彼は常にコンプレックスと戦…

○あの坂本龍馬が靴をはいて日本…
はいてスズカに帰って来た. ○F1…
'88 スズカグリッド6位

コースアウト・リタイヤ
・○○は時間をもどしたい. しかしス…
・イン石にぶち当って軌道をそれてし…
砕け散ったマシンのかけら 2度ともと…
・マシンが止まる. サーキットのカマイ…
・マシンが彼を見離した. ・さまよ…
・マシンを降りれば丸裸 ころもを…
・魔法のとけたマシンはただのカ…
ピットイン ・マシンは野戦病院にかつ…
・カルテなき手術を敢行している

局面

スタート
・このグリッドはそれぞれの男たちの栄光の軌跡.
・1年前、おきざりにしてしまった栄光を今取りもどしたドライバーたちが帰ってきた.
・ダムが決壊した大洪水の様に ・地上を渡る鳥の群れ
・大群衆がスズカから秋を奪う.
・反射神経という名のIC回路を使い果たす. スピードの神経衰弱ゲームが始まった.
オバタリアン
・鋭くコーナのインへ飛び込む切れ味のよさ
電車の座席を狙うオバタリアンのような切れ味

ウイリアムズ. ○走るドーバ海峡
○サーキットのコンコルド
○北太西洋条約機構
○サッチャーのしたたかさ
ミッテランの柔軟さ

ブーツェン ⇒ 慎重派.
○ベルギーのガリバー旅行記
○ウイリアムズの理科系ドライバー
○'88 スズカ3位

パトレーゼ ○鼻はFW13のノーズ・コーン
出場回数 190
○走る村田兆治
○走るたびにギネスブック
○ベストオブセカンドドライバー
○今日も開校するか

マーチ
○走るワンレン・ボディコン
表彰台という名のお立ち台で踊…
○空力ファッション最前線
○風に愛されすぎたマシン

グージェルミン
○ブラジルの南十字星
○不死身のマッチョマン
○F1界のトライアスリート
○数字をつらねて徹底討論する理論派、まさに朝まで生テレビ

カペリ ○精神のイタカジ
○イタリアのダスティ・ウフマン
○ひょうきん者がレース中でひょう変する二重人格

ガラス細工のメカニズム
・細密画のようにわずかな指先の動き. つま先のわずかな踏み加減ひとつで、大きなアクシデントになりかねない.
・走るダイヤモンドが燃えている、スピードの元素記号が今、灰と化そうとしている.
コーナーを おのれの人生の断面を確認するかの様に切りとって行く.
霧の中を抜けてゆく光

クラッシュ (無残やな、かぶとの下のキリギリス)
・地獄のキューピットが放った矢が今○○に命中した.
・悪魔の黒いマントにおおわれてしまった.
・今、運命のワナにはまった
・鈴鹿の落とし穴.
・誰かが犠牲者になるのか、サーキットでロシアンルーレットが回っている
・たった千分の一秒の出来事で運命が決った.
この一瞬に永遠の悪夢を見た.

短編小説 51周、51回の連載小説のページ. 1周ごとに観客はそのページをめくってゆく.

F1GP
輸送手段でない、不思議な車. 何の荷物も持たず乗客はただドライバーのみ. 孤独な道のりをマシンと対話しながら旅をしてゆく男たち. がその肩には、何千万人もの夢と何億ドルのカネをかけた企業の野望が乗っている.

・ドライバーは一周ごとに一年分のストレスと神経をすり減らしてゆく「いや、ラップタイムをゼロコンマ①秒ちぢめられるのなら自分の寿命をちぢめてもかまわない」とドライバー達は思っている.
・○周目にはいっている. 天国と地獄が交錯する.
回転木馬のデットヒートか.
・F1のレースの中に様々な人生のかけひき. 人間もようを垣間見ることができる.
スタートからゴールまで およそ5500秒
一本の映画にもみたない その時間に 我々は激流の様な大河ドラマを見る.
・F1には1000通りの物語があるという
まさに真昼の千夜一夜物語.
・まばたきのその直後に もう次のドラマが始まっている.
・音速のイス取りゲーム (表彰台?ドライバーズシート?)

ラップタイムの話を…
・わずか数秒という…
という人間の宿命…
今、サーキットという…
時を刻んでゆく…

スタート → 1コー…
人間とマシンの融合…
・ドライバーの体内を…
・ドライバー + マシン…
マシン (コックピット…)
・風を誘惑するしな…
・筋肉が躍動してい…
・野球選手がオー…
信頼するマシンがな…
・鉄腕アトムにハ…
ハートが組み込ま…

タイヤ
・身をすりへらし…
・タイヤがきしむ.
タイヤの平均寿命を…
ドライバーたちは…

ヘルメット
・レーサはヘルメット…
しかし その下には…
酔いしれている顔…

車載カメラ
・ヘルメットごしに…
・彼らの目には観…
ただ一本のアスファ…
しかしその道の果て…
大地があとずさって…
まさに人生はまわり…
○○の前の画面か…

ランデブー走行
・短期のハネムーン

ターボVS NA（ターボ圧勝）

500ccNA一色　（中位〜下位 グループ開発 途上国の台頭）

戦国時代

ピードはターボ、しかし、平均
は今年のNAの方が速い
によるコーナリングスピード
脱出時の回転立ち上り etc〜
かせを受けながら必ず進化する
上は強すぎるホンダいじめだ。

ウオーズ

らGood-yearのワンメイクが続い
F1に3年振りでピレリが参戦
複雑なオモシロサ、を持ち込んだ
耐久性を無視して、グリップのみの
⇒ 予戦一発勝負
GYが供給
低速サーキット（モナコ・ポルトガル）
テナ、ミナルディ、マルティニ あたりが気を吐く
が流れる。 ・早い周でタイヤ交換（スペイン）
耐久性がある
のジョギングシューズ
長もちするシューズ

しかし新品にはきかえた時の一周が難かしい

○レースはドライバーのものである
しかし戦いには 腹ごしらえが必要、
スポンサーの存在は不可欠である。

○中島が水先案内人となってジャパンマネーが流入、

○世界130カ国、延べにして世界人口の約3倍にあ
160億の人々が見るというF1グランプリ。
広告効果は絶大
巨大なワールドマーケットを企業が見のがすはない。

※かつて大横綱《すもう》若乃花が
"土俵の上にはカネが落ちている"
と名言を吐いた。
まさにF1マシンは金銀をちりばめた
ワールドワイドな 化粧まわし！

F1マシンは様々なスポンサーのステッカーで
仮面舞とう会のきらびやかさ。

このサーキットには もうひとつの戦いがある
それは 企業戦略という名のレースだ！

ストーブリーグ　プロストに始まり、プロストに終る

F1サーカスの大テントが、プロスト台風によって
吹き飛ばされそうになったのだ

小さな巨人の大きな賭けは、マクラーレンの本命ライン
を突き破って、思わぬ高配当を生むかもしれない
プロストによって、80年代から90年代への
橋はかけられたのだ

○'88シーズン、セナ・プロストと希代
マクラーレンジョイントNo1誕生

○昨年後半のイベリア半島決戦！
ポルトガル、スペインで両雄、あつれき表面
オ13戦ポルトガルGP、
⇓　タイヤ接触
（セナがプロストに幅寄せ、プロスト怒る。）

○日本GP前 ⇒ FISA会長
ジャン・マリー・バレストルからホンダに送られた
不可解な質問状、「ホンダはマクラーレ
2人に本当に同じエンジンを供給している
セナにひいきしていないか？」といった内
日本側にしてみれば、その言葉をそ
お返ししたい心境であった
とかくヨーロッパ文化の国
はヨーロッパ人をひいきしている。その
事情を呑み込んだ上で参戦している
日本にとって 思いもよらぬ 濡衣で。

が世界に向って投げたホンダと
イテクブーメランが、今、鈴鹿に
。

ホンダ苦戦かと思われたが14戦
マクラーレンホンダがモノにし既に
チャンプを手にしている。

る産業が 世界 経済摩擦を生むように
る囲網下にある。F-1は時代を写す

本のあらゆる産業が経済摩擦を
独走するホンダに本家ヨーロッパ
襲いかかる！

どもえのエンジン戦争
はルノー　ルノー全盛
↓ 入れかわりに、ホンダのターボ
ご廃止のNA回帰元年に ルノー復活
フランス革命 200年祭
本家本元V12 ホンダを狙う。
50勝（ベルギーGP）
の克日本、とっ攻隊 体ごと殴り込み

本田宗一郎
↓
何故スートヨタ・ニッサン でてきてくれ！

○1965年メキシコでホンダは初優勝、アイボリー・ホワイトに日の丸のナショナルカラーだった
これは丸裸にハチマキを締めての殴り込みであった。時を経て今、ヨーロッパ文化と見事融合。マクラーレンの赤・白のヨロイカッチュウに身を固めて鈴鹿をした走る。

○ホンダエンジンキーン　回想
昭和39年 時あたかも東京オリンピックの年に初めてヨーロッパの人の耳を奪ったエンジン音。東洋の神秘ホンダミュージック。　歳月を経て世界のスタンダードナンバーになった。今、ふるさとに
V10サウンドが聞こえる。
—T-Square of TRUTH の音楽—

○トヨタ・ニッサン
日本側の立場に立てば、ホンダは襲いかかる世界の列強の前に「孤軍奮闘」「八面六ピ」
もうこうなったら、ポルシェは来年参戦！
ベンツはどうしたんだ！
トヨタ・ニッサン でてきてくれ！

ホンダ いじめられると 強くなる
F-1は ホンダにとっての麦ふみか！

フェラーリ　スズカでホンダを　他で3回優勝の
○エンツオの情熱がマシンを赤
○オートマ ⇒ ギターのアルペジオ
○赤いドレスの超一級ブ
○セミオートマの大いなるアドバ
○ブーズコーン ⇒ 獲物を狙う、ケ

ベルガー　走るドンファン　○地獄の黙示
○縁石 ⇒ 命を恐れない、荒いテ
○スペインGP 白煙を上げて2位
○タワーリングインフェルノ
○'87 スズカ 優勝 '88 4

マンセル　○単発でエンジ
○伝統のスピードマフィアから送ら
○F1界のブラック魔王

ロータス　○西日の射す部屋
○砂漠の迷えるラクダ、
オアシスを見つけるか！
○イギリスのストレスをはらうように名門ロータスにひとつの光明が！

ピケ
○世界最速のオモチャで遊ぶ
永遠のガキ大将
○37才の少年
来季ピケ ⇒ ベネトン入り

結論
においての日本の首都は鈴鹿にあり

ただ、セナスタート失敗
えた時点で8位
プロストに並びかけトップに立つ
ぶち抜いた瞬時のひのき舞台であった
2台のバトル → 28ラップ目プロストの

スリップストリーム 鈴鹿の真空地帯から一気におどり出てプロストを抜いた。
2年前この鈴鹿でベルガーが勝ち、1年前鈴鹿の空が泣いたセナのWチャンピオン決定。
男たちの涙の結晶が今、大気中に溶け込んでいる
'88年表彰台で、セナ・プロスト あく手

・サーキットのエンターテイナー
・神技か熟練か？F-1界のMr.マリック
・ミスターパーフェクト
・悪魔のような勝負師
・修羅場くぐりのサイボーグ
・真空地帯のプロフェッサー
・デカルトに端を発する西洋合理主義哲学の終着点
・勝者のほほえみ

・サーキットの頭寒足熱
・セッティングの帝王・段取りのマジシャン！
Ⓜ好き・デトロイトきらい
Ⓜで、大人気（ホームグラウンド）
Ⓑ 14周目タイヤ交換 pit in ・もし1回で、というつもりだったら（15周目で、ウィリアムズに抜かれた）
⇕ハーバードも同じ

ウィリアムズ・ルノー [redacted]

・走る英仏同盟
・イギリスのボディにフランスの心臓を移植（不調時は拒否反応）
・白・紺・赤、色彩の三権分立
・エキゾーストノートは フレンチティスト
・執念のおき上りこぼし

・イギリスのホンダ未亡人
・勝利の残り香（一昨年のC・チャンプ）
・フランク・ウィリアムズ F1界の星一徹
・89年、オーバーヒート、前半アクティブサスに苦しんだ
・名門だけに アラブのオイルマネーを得てパトリック・ヘッドを設計陣に迎えてから急上昇 79・80・81
86・87とコンストラクターズチャンピオンに輝く

ブーツェン

Ⓑで セナとベルガーの確執のかげに隠れてひっそり（とばっちり）
・サーキットの足長おじさん（ダウトに邪魔んすいこみ、ミラーもはずんで）
・愛妻家でも名高い（F1界の生きた・愛した・走った）
・マシンと会話できる男 ～F1業界の聞き耳頭巾
・ウィリアムズの知恵袋
・レーサイズのプロスト（学者肌）
・ウィリアムズの理科系ドライバー
ベルギー出身31才
（サンマリノ）ぱんぱんふんでのパイパーバースト →うらめしい
・ベルギーのガリバー とんでもない
・F2時代スピリット・ホンダと乗っていた
・昨年ベネトンで6回表彰台にのぼり
総合ランキング4位
冷静

パトレーゼ

通算出走回数 178回、今回179回目（レコード）
2位 G・ヒル 176
3位 J・ラフィ 176
4位 … 177
5位 N・ピケ 157
・加速するマカロニウエスタン
・走る皆勤賞
・爆走する無遅刻・無欠勤
・地獄の生き証人
82' モナコで優勝
⇓

・ムアの親心ーナラはわからない
・ブラジルのイタリア移民三世
・8才の時最初のレースで優勝
・インタビューも数字専門用語が多くまじめ
・89年ブラジル地元で3位

カペリ（イタリア）25才 '84モナコ F3 Ⓒ

・パスタの国から今日は…
・天才トムソーヤ
・サーキットのとむらい合戦（ガルバルディ）エキゾーストはレクイエムか？
・疾走する天使のいたずら
・走るラテンの欲望（エンジン音をおはやしにして悦楽主義でいたまる）
・去年のスズカで直線プロストを抜き1位に
・86年日本F2レース参加ーうるさいインパクト
・両乳ふく→ ドシャッぶり「日とばしイイ」
・ママ 母さん「レースやめるか？」「これ1着か」 → もっとやれ
・速度おとせ→ゆっくり近づけ おとす

ベネトン・フォード

・音速の七色仮面
・嵐を呼ぶブラン・ニューカー
・走るくまどり
・愛と青春のカラフル・マシン
・走るミラノコレクション ボディのイタカジ
・爆走する熱帯魚
・戦う印象派絵画 走るマネ・モネ・スーラ
・アパレル・モンスター
フランス人あたりから ニューエイジ
・走る日比谷花壇
・走る流行通信
・コーナーリングサーカス
[redacted]
・地中海の熱帯魚
同期のプラントル 手りやきブーム

ナニーニ（イタリア）

・地上の月面宙返り
・ラテンの若大将
・女にもてるF1界の寺尾
・おねえさんがロックのジャンナニーニ
・F1むいつのヘビースモーカー
・ウィンク男（ダッコちゃん人形）
・88年サンマリノ、フェラーリ応援 一色のトサコーナーで不調なフェラーリにかわってファン（イタリア）を狂乱させた男 パフォーマンス男
89サンマリノ 3位

新人で4位という大金星、18年前71のカナダGPで、USAのマーク・ダナヒューが3位に入って以来。Ⓑ
・テストではナニーニ優勢の評判から、ハーバードがりょうかいした。
・ハーバードにとってはF1サーキットはバージンロード そのバージンロードを歩きつつすでに新郎をきどる新妻のようなふてぶてしさ
・走る超大型新人類

ハーバード Ⓑ

フランスでヘッドの大事故
・世界一生意気な新人 にからんで Ⓗとフォイクワ。
・不死身のスーパールーキー グルイヤール
・有言実行男
・地をはう大風呂敷（若き日のマンセル一世代）
・「F1界のジョニーは戦地へ行った」
・走るジョニーへの伝言（ピットボード）

・サーキットの企業最前線
・走る紅白まんじゅう
・めでたい走る紅白横断幕
・光の国の征服王朝
・名誉と喧噪のファンファーレ
・黄金のブレーン
・赤は情熱 白は冷静 情熱と冷静さを二つそなえた集団
・マルボロの煙がサーキットを煙に巻く
・イギリス産業革命の大いなる遺産
・ホンダエンジン何%かパワー上乗せ ─ 走る消費税

ホンダ・ホンダミュージック、Ⓜできこえるか？（伝統のコースを）
・車は元々、ヨーロッパ貴族社会のもの → 巣の心臓部のエンジンでなぐりこみ、
もキソークにサムライがつっこんでいく？）
・F1社会、ヨーロッパ文化のカベは ホンダのターボいじめ ⇒ 大トルク禁止ばブス
いじめがあるから強いのか？ F1はホンダの麦ふみか？）
ホンダがモナコを制したのは、87（ロータスのセナ）88プロスト、マクラーレン
60年代～86年までは勝てていない。

セナ [illegible]
・巨人・大石宅・マクラーレン 現代の玉子焼
・ブラジルの韋駄天男・アミーゴの神様
・一人レーシング・カーニバル
・光速の重要文化財
・天が二物を与えた男
・成層圏のアストロノーツ
・地球物理学と単文ラ《森羅万象を敵に回し》
ヘルメットを持ったマラドーナ

・かつての牛若丸が今義経になった！
・アクセルの芸術家 ガードレールをかすりながら、突っこんでいく
・風になった男 セナ、3次元をかすめて、3次元界へ
・F-1界のミッキーローク
・光と風のシンフォニー 世界でただ一人風とたわむれた男 光の詩人
・屈辱のリターン・マッチ 神様のおぼし召
・バックトゥザフューチャー
・スピードと寝た男たち

・イギリスの光と影
・伝統と気品の走ふくろうても魚同
・哀愁の没落貴族
・F1界のビートルズ、サウンド（60年代の栄光）
・今年に賭ける意気込みはラクダの鼻息の如し
往年のリーディングヒッター
・走る時代錯誤 F1界の窓際族
・ピットに咲いたひまわり ＊モノコック・スポンサー アクティブサスetc カラー
・悲しきひまわり
・黄色い稲妻・走るモンキーバナナ 正解兄
・走るヨード卵カラー

ピケ 去年1回でウィング こわされ・タイヤ
・36才の少年
・永遠のガキ大将
・泣くなドンファン
・サーキットのジゴロ
・今世紀最大のきかん坊 F-1界のわがままジュリエット（たかの児）
・サーキットの逆噴射機長 Ⓜ大きらいだ ポールはある）
・走る人類三大欲望 優勝回数20回
・走るセ・ラ・セラ
・ヘルメットをかぶった世捨人

中嶋 Ⓜきらい、去年下位落ち。
・F1界の交通安全教室（模範ドライバー）
・F1とん田兵
・逆マルコポーロ・走るジパング
（日本のアイデンティティを背負って）
・男のロマンチック街道
・黄金のジャポネスク
・ピケのあとロータスの曉し見様
・マシンを愛した男はマシンと闘わなくてはいけない
・外地を夢見た三年目の坂本龍馬
栄光を持ち帰るか現代の遣唐使
・平成の勝海舟

レイトンハウス・マーチ
・流線形マジック
・コートダジュールの海の青さ
・青きアジアの風雲児
・青いたつ巻
・ライトブルーなF1青春日記
・巨大化した青スジアゲハ
・目にも止まらぬ青色申告
・目で見る青天のへきれき
・青き野望の王国（エコノミックアニマル日本）
異差人のアイ 安をかいゆう（ニューヴァルトひみつ）
・ついに登場（1号車グージン、2号車ガベリ）さすがに（光速神ウンクトはいう・1号車テストカー）モナコはこと（大きい？2号車（本命仕様）
実況 ─ ここの実況はなにかにつかえないか

グージェルミン ・85'マカオで勝ってる。1ヒート、2ヒート両方とも。…（公道得意）

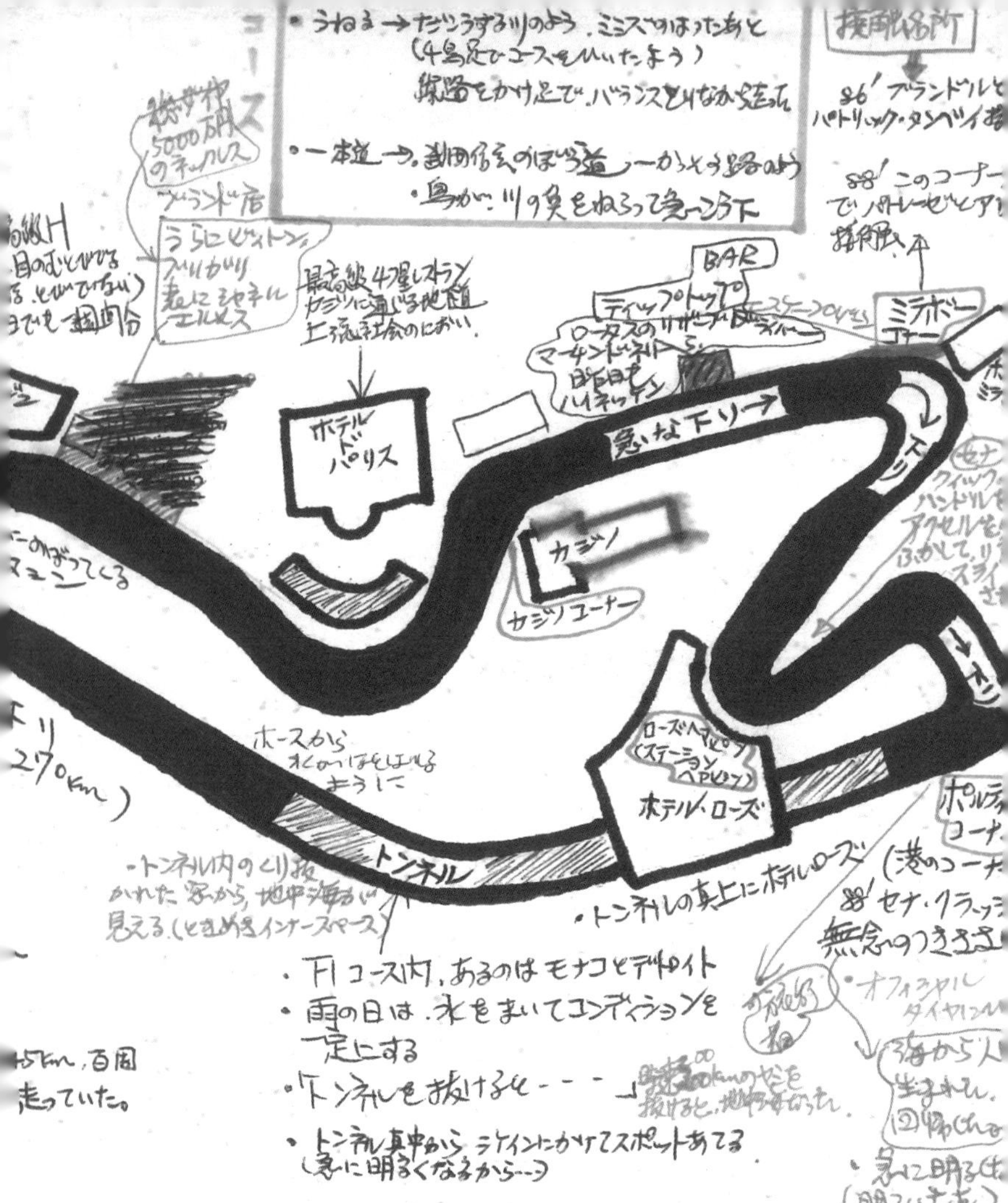

ークラブ・ド・モナコのイニシャル（ヨットの中でもステイタス）
来ている。イギリス船籍の船についている。）⇒ レース終わると、ドライバーをたたえて汽笛を鳴
型クルーザーで来て、近くにつけていても、GP 知らんぷりで、裸でよこたわる。スノッブな女達
らん振りが、ステイタス、不自然な自然体をよそおう）。

ー急斜面に開発された町 坂道多い。→日光いろは坂のように、ヘアピンの連続だ!!

・このあたりのマンションは、住人が友達入れて、金なり（たたみいわし？）
・興味のない年寄りは、逃げ出して場所をかしている。（白タク？）
サンデ・ボーテ
大教会
サンデボーテコーナー
エスケープゾーン
・村コーナーのバトル絶好ポイント
・格安、カメラの放列
コースに迫るガケっぷち道路。
ラッシュ名所
ミケイン
長い坂道（4速、220km）
村上龍、フェラーリとロールスロイスにはさまれた。
急なのぼり
ネルソンとパトレーゼ
ワーウィックとマーク・シュラー
中嶋モナコ初体験 一周コースアウト
スタート→
レストラン街
エスケープゾーン
タバコ屋コーナー
南ープオイルとにんにくときかせたシーフード
・通が来る。手をのばせばさわれるほどそう
・タバコ屋進入のところ、ガードレールすれすれ（4ーンとくる）
・3回優勝のS・モス ここでクラッシュ
ミケイン
86から設定
85まではレーンチェンジだけ
5速あぶない
82 プロストがスピン
プール
ピット
88 ここでマンセルとアルボレート接触
259
・1周3.328km×78周
・1929年に完成
・海に面し、背後にはホテル
アップダウン激しい
・金のないやつー王宮側のかべ（無料）木戸銭なし
・プロレタリアート ― プールサイド
・ブルジョア ― ・ホテルドパリ ・ホテル・ローズ
レストランラスカセ
ラスカセコーナー
・最も美しく、斜面格安の野外席

改めて見てみると、懐かしいフレーズがある。当時、不正融資問題で揺れていたレイトンハウス・マーチのブルーのマシンは「**スピードの青色申告**」。ボディがイギリス製、エンジンがフランス製のウィリアムズ・ルノーは「**走るドーバー海峡**」。さらに、「クラッシュしたとき」なんてものまで用意している。「**今、運命のワナにはまった**」「**さまよう難破船**」「**マシンを降りれば丸裸**」という具合だ。

全部を使えるわけではないけれど、この資料は用意であり、そして準備だ。

昔だったら、見栄っ張りな僕は恥ずかしくて見せない。こんなに勉強しているんだって、見せたくないものだ。だが、今こうして振り返っていて、事務所が取っておいてくれて良かったとも思う。

僕が曲がりなりにもF1の実況を6年も続けさせてもらえたのは、こんなふうに用意と準備、そして本番への臨み方をつかんだからではないかと思うのだ。

●準備が飛んだときの興奮を味わう

さんざん準備しておきながら、本番では準備にこだわらないようにする、というのは、言うほど簡単なことではないかもしれない。僕が自然とそういうことができるようになったのは、おそらく仕事柄、**「準備が飛ぶ」**ことが日常茶飯事だったからだ。

たとえばプロレス。本物の路上の喧嘩ではないから、レスラーたちは「自分がこう仕掛けたら、相手はこう返してくるだろう」という信頼関係をもってリングに立つ。ただし試合運びは彼らの頭の中だけにあるもの。準備をしていないフリをして熱狂のパフォーマンスを届けるのが、プロレスラーだ。それを事前に「あなたがたの脳内にあるシナリオを全部教えてくれ」なんていうのは、ご法度なのだ。

とはいえ、実況をおもしろくするには、ある程度、試合運びを予測してフレーズを考えておく必要がある。

だから、レスラーの得意技などの基本情報を頭に入れておくのはもちろん、時には試合前のインタビューで、技名を口にして反応を見たりする。スタン・ハンセンに、彼の代名詞とまで言われた得意技を出すか、出さないか、カタコトの英語で「ウエスタン・ラリアット、今日あたり炸裂するんじゃないですか？」なんてしつこく迫ったこともある。

そこで相手が目配せなんかしてニヤリと笑ったりしてくれたら、しめたもの。きっとその技が飛び出すと予想して、フレーズを準備しておく。的中すれば嬉々として準備したフレーズを言い、外れたら「準備が飛んだ」とガックリとうなだれながらも実況を続ける、その繰り返しだ。

プロレスでは放送席が巻き添えになることもしょっちゅうだ。

ある時は、初めてオーダーで作ったシャツを、本番中に放送席へやってきたレスラーにビリビリに破かれた。またある時は、エルボーをくらったこともある。

さらには、放送開始前に乱闘が始まり、放送席が破壊されたこともあった。保険として机に置いておいたメモも資料も、見られる状況ではない。こんな準備がすっ飛んだ状態で、テレビでプロレス中継の放送が始まる。視聴者からすると、パッとテレビ画面に映った僕が、どういうわけか乱闘の渦中で実況しているわけだ。

「放送席が破壊されまして、マイクが強奪されました。どこかに紛失してしまいました。私の手元の資料も完全に飛んでしまいましたので、あとは予備マイクを使いまして、今、実況に入ったところであります」

こうなると、ずっと立ったまま予備マイクで実況する。メモも資料も何もなく、全国のプロレスファンの衆目を集めながら、脳内にある準備の残滓《ざんし》を頼りに実況する。爽やかな怖さだ。

自分が想定したストーリーは、はたして当たるのか、外れるのか。あの得意技は出るのか、出ないのか。半分不安で半分おもしろい。プロレス実況で常にあった、この清々しさと恐怖が入り交じった興奮は、今も忘れられない。

プロレスだけではない。思い返すほどに、僕の仕事人生は準備が飛んだ瞬間だらけだ。

1989年、初めてのF1実況で、スタート直後の第1コーナーでセナが接触したのも準備が飛んだ瞬間だった。

こうなるともう、準備してきた「素晴らしいスタート！　ポールポジションと2番手の、まさにトップ争いのコーナリング！」は言えない。この時は本当に必要な準備をしていなかったばっかりに、大失敗してしまった。

2013年4月15日、ボストンマラソンのゴール付近で起こった爆弾テロもそうだ。

当時、僕は「報道ステーション」でメインキャスターを務めていた。当然、その夜に取り上げるはずだったニュースはすべてキャンセル。事前に準備したことがすべて飛んだ状態で、いつニューヨーク支局と中継がつながるともわからない中、何とか言葉を繰り出して番組をつなぐ。

「ボストンの現場はまだ映ら……ない。当然、映りませんよね、申し訳ないです。ニューヨーク支局の記者が急遽ボストンに向かっていますが、まだ現場に到着しておりません。繰り返します。ボストンマラソンのゴール付近で爆発がありました。テロ事件でないかと見られていますが、それ以外の情報はまったく入っていません。一旦コマーシャルを挟んで、ちょっと見ていただけますか？」

こんな具合の繰り返しだ。そうしてどうしようか、どうしようかとしているうちに、ふとどこからか「2005年に、ロンドンの地下鉄とバスで爆発が相次ぐテロ事件がありました。これはある種、移民政策に失敗したのではないかとまで言われた事件だったわけです。今回のこととはもちろん直接のつながりはないわけですが、ボストンマラソンはどういう人間がどういう意図で仕掛けたのかということですよね」なんて捻り出してきて、解説に振る。

これが長くて、恐怖で、しんどくて、そして僕は――テロかもしれないという状況において不謹慎な表現ではあるのだが――嬉々としている。もう、あたふたしているところも見せるしかない。

同時に、準備学の見せどころでもある。「記憶の第二駐車場」の奥に入っていた過去の事件を引っ張り出してきてつないだりするのだから。

「思えば2001年の911のテロ以降、憎しみの連鎖がループしているわけです。ボストン現地、まだ継ながらない、うーん。それにしても……」つらいけど、つなぎ続けるしかないんです。

不測の事態は起こらないでほしい。すべてが自分の想定どおりに進行して、準備してきたことがピタリピタリとハマるのは快感だ。

一方、準備が飛んだときに、その状態をどう切り抜けてやろうかと興奮している自分もいた。嫌じゃない。いや、本当は嫌なのだけど、「嫌じゃない」と自分に催眠をかけているところがあったかもしれない。

ともあれ、準備が飛んだときに、下手に取り繕おうとすると余計に焦る。だから、準備が飛んだ興奮を静かに味わいながら、あくまでも冷静に、しかし正直に「こんな状況になり、あたふたしている自分」を見せてしまうのが僕流である。

その姿だって決してカッコよくはないだろう。だが、正直に言うことで全身から醸し出される

「真実味」、それでも何かを伝えようとしている「真剣味」を相手に感じてもらうほうが、よっぽど効果的だと思うのだ。

●時には「準備なし」で臨むのも手

かの喜劇王・チャップリンは「**人生はクローズアップで見れば悲劇だが、ロングショットで見れば喜劇である**」と言った。準備と本番も然り。一瞬でも自分を俯瞰してみれば、本番の悲劇性が薄れて喜劇に思えてくる。もうひとりの自分が、自分を突き放して見れば、冷静になれる。魂ではなく、「**心の幽体離脱**」みたいなトレーニング。それが、心構えとしての準備になるのだ。ただ悶々と苦しく悩んでいる時間。あるいは、本番で不測の事態にあたふたしてしまったとき。冷静になれるということは、苦しみの極致の中でも、その苦しみをかなり軽減することになる。

僕の仕事でいえば、「報道ステーション」がそうだった。

ある時、自民党に対する批判を述べたら、10日ほど後に、事実関係の一部に誤りがあったことがわかった。

もちろん謝罪して訂正しなくてはいけないが、批判そのものを引っ込めるつもりはない。謝るのは事実誤認についてだけであって、その謝罪は批判にまでは少しも及ばない。「ここは謝罪して訂正する。ここは謝罪も訂正もしない」という線引きをする。難しいところだ。

事実誤認を謝罪する場合、「〜〜に誤りがありました。正しくは〜〜です。お詫びして訂正致します」という原稿が準備されるのが通常だ。

でもこの時、僕は、いっさい原稿の準備なしで臨んだ。原稿を読むだけで済ませるのは嫌だったのだ。

しばらくニュースを報じて、次のCM明けに謝罪するというタイミングが訪れた。

原稿がないのだから、当然、言葉を探りながら話すことになる。

「えー、10日ほど前の放送だったかと思いますが、自民党の厚生労働部会に関する国会対策委員長会談の話のところで、当番組では、こういう言い回しをさせていただきました」

ここまで言っておいて、隣に詰めている記者も巻き込む。

「こういう言い回しをしたということで、合っていますね?」

そしてここからが、準備なしの勝負どころだ。

「ここで謝罪して訂正することと、撤回しないことは、ちょっと分けて話させてください。ご不快に思われたらごめんなさい」

この後、何を言ったかは、はっきりとは覚えていない。文章に起こしたら何もまとまっていないだろうが、自分自身は冷静そのもの、淡々と話したという記憶だけはある。

こんな僕の物言いに、自民党の人たちはもっと怒ったかもしれない。

でも、もとより僕は「視聴者様還元主義」で「報道ステーション」をやっていた。そして視聴者様に一番響くのは、予め準備された原稿の言葉ではなく、その場、その時の僕から出てくるナマの言葉であると信じていた。一寸の付け入る隙もなく準備された言葉は白々しく響くだけだろう。

こういうことを何度か経験して、僕は、強く伝えたいことがあるときほど、言葉を準備しないほうが効くということを学んだ。

丸腰で現場に挑む。素の状態で何を言えるか、自分を試す。ここまで言ってしまっていいのだろうか？　はたして真意は伝わるだろうか？　さながら自分の公開処刑だ。ものすごく怖い。だけど、その中にある何ともいえない楽しみ、地獄の中の愉悦を知ってしまった。

それに、このほうが聞き手は「ナマ感」を楽しめる。今どき、なんでも「感」。ナマ感、肌感、感・感・感。やっぱり「ナマ感」は欠かせない。

とにかく、「あえて準備しない」という準備が奏功する場合も多いのだ。

もちろん、この境地まで辿り着くための「心の幽体離脱」は、そうそうすぐにできることではないかもしれない。でも、大いに悶々と悩み、あるいは何度も失敗を繰り返しているうちに、ふと気がついたら身についていたりする。

だから、あたふたしている自分を俯瞰するために、「心の幽体離脱」のトレーニングと「あえて準備しない」挑戦を一緒にしてしまえばいい。

たとえば、時には丸腰でプレゼンに臨んでみてはどうだろう。

「すみません。今日はパワポを使いません。お渡しする紙資料もありません。ただ、私が考えていることを話してみたいと思います。正直、ちゃんとまとまっていないと思いますが、どうか聞いてください」

これで滔々《とうとう》と話せたらカッコいいのだろうが、そうはいかない。

「あえて準備しない」というのは、「自分の中にあるもの」だけで勝負するということだ。

今までどんなものに触れ、蓄積してきたか。すでに記憶している知識や情報、あるいは自分の奥底にしんしんと積もっている思考、見識、価値観、さらには感情をもって、その場に立つ。そこから繰り出される言葉でもって相手と向き合ったほうが、予め隙なく練られた言葉よりも、案外、人の胸を打つものなのだ。

●恋愛も仕事も「ほどほど」で

「いい加減」という言葉はあまりいい意味では使われないが、「いい加減＝加減がいいこと。ちょうど良い加減であること」と捉えれば、まったく悪いことではない。

準備だって、「いい加減」のほうがいい。この言葉に抵抗があるなら、「ほどほど」と言い換えてもいいだろう。

たとえば恋愛。デートの約束を取り付けたら、どこで何をするか、何を食べるか、たくさん調べてプランを立てる。つまり、十全に準備する。でも、ガッチガチに準備をしたままのメンタルで会ったら、きっと相手は引いてしまうだろう。「重い」とか「怖い」とか思われる危険もある。

準備は十全にしても、あとは出たとこ勝負。これくらいの余裕がほしいところだ。天気予報が外れるかもしれないし、思ってもみなかったことを相手が言い出すかもしれない。せっかく立てたプランだが、それに相手を従わせようとするのは恋愛巧者とはいえない。

こんなことは数多の恋愛指南書に書いてあるだろう。じゃあ、なぜ、今、この話をしているのかというと、仕事にもまったく同じことがいえるからだ。

「いい加減」「ほどほど」がいいというのは、おそらく恋愛においては、すでに一般的になっている。人口に膾炙している、なんてどころじゃない。あの指南書でも、この指南書でも、至るところで言われている（とはいえ、言われ続けているうえ、恋愛の話にとどまっているということは、人口に膾炙していても、実践には膾炙していないのだろう）。

それが仕事となると、準備完璧主義に偏ってしまうのはどういうわけなのか。どうも「完璧に準備をすれば、本番もうまくいく」という言説が強すぎる気がしてならない。

おそらくだが、この言説は、実際に「完璧に準備をしたうえで本番に臨んだことでうまくいった人たち」の成功体験に支えられている。ただし、その一方には、必ずしも成功とはいえない準成功や失敗の例もたくさんあるはずだ。完璧に準備したつもりで、そのとおりに事を進めようとしてみたが、ぜんぜん相手が乗ってこなかった、というような。

さらに、僕たちのビジネスシーンでは、プロジェクトが成功しなくても、「ちゃんとやってたよ。しっかり用意して、準備して、本番も良かったよ」と、過程が評価されてしまう。だから、恋愛のように「過程をがんばっても結果につながらなければダメ。ほどほどがいい」とはならないのかもしれない。

確かに、日頃のインプットも含めて、準備は我が身を助く。ある目的に向かって十全に準備をすることも重要だ。これは僕自身、実感していることだ。

しかし、「これだけ準備したのだ」という事実にこだわってしまうと、いざ本番に臨んだときに、自分の感覚が鈍化し、場の空気や相手の微細な反応も捉えられず、結果としてコミュニケーション不全となって物事がうまくいかなくなる。すでに本章で述べてきたことだが、改めて、これは覚えておいて損はない。

つまり、こういうことだ。プレゼンも商談もデートと同じ。ほぼ、さっきデートの心得として書いたことのコピペでいい。

準備は十全にしても、あとは出たとこ勝負。これくらいの余裕がほしいところだ。天気予報……

は関係ないだろうが、双方の機嫌も状況も常に移り変わっているし、思ってもみなかったことを相手が言い出すかもしれない。せっかく立てたプランだが、それに相手を従わせようとするのは仕事巧者とはいえない、というわけである。

●本番で囁く「自意識という悪魔」を飼いならす

人を前に話していると、無性に相手の動きが気になってしまうものだ。正面の彼が腕を組んだ。隣の人と目配せをした。体が揺れた、トイレに行った、時計を見た。こうした動きが見えたとき、「自分のプレゼンがダメなんだ」とか、「からかわれている」とか、必ず「**自意識という悪魔**」が囁いてくる。すると自信を失い、自信を失うほどにうまく話せなくなるというドツボにはまってしまう。

でも、相手が腕を組むのは単なるクセかもしれない。相手が時計を見たのは、たまたま見たように見えただけかもしれない。クライアントの部長と課長が目配せをしたのは「こりゃダメだね」とはまったく別の意図で、ひょっとしたら、「じゃあ、10時半に、並木通りのクラブでね」と合図しているのかもしれない。そのほとんどは、単なる「気にしすぎ」に過ぎない。

ではどうしたら、この「自意識という悪魔」の囁きに振り回されずに済むだろうか。

招集してもいないのに勝手に顔を出してくるものを、意図的に引っ込めるのは難しい。ならば、「自意識という悪魔」が顔を出すことをも織り込み済みにしておくのがいいだろう。

「はいはい、わかったわかった」と、適当にいなすイメージ。そうして「まあ、自分は今、幻覚を見ているんだ。こんなダメ出しの視線は、幻なんだ」と自分に語りかける。

なんだ、そんなことかと思われそうだが、ちょっと振り返ってみてほしい。

大事なプレゼンに向けて準備をしているとき、相手の微細な反応にいちいち不安になることをイメージするだろうか。たぶん、準備したとおりに話を進めることに集中していて、そんな自分の精神状態にまでは気が回らないいんじゃないかと思う。

でも、本番ではどうしたって聞き手の動きが目に入ってくる。そうして「自意識という悪魔」が顔を出し、すべてを「自分へのダメ出し」のように見せてくるものだ。

それが常であると予め含んでおけば、相手の微細な反応をとりたててネガティブに捉えずに、本番をまっとうできるようになるだろう。

なんて語っている僕も、まだまだ自意識から自由になりきれていない。

「トーキングブルース」では、遅れて入ってきた人やトイレに出て行く人を「**いらっしゃい。今ちょうど、この3日間で一番いい喋りをしていたところなんですよ**」などといじることがある。これを「アドリブですごい」とおっしゃっていただくこともあるし、場を和ませようという目的が主でやっていることではあるのだが、その根底には自意識も少しあるかもしれない。目に入ると、どうしても我が出て絡んでしまうのだ。

トークは、シナリオで割り当てられた役柄を忠実に演じる台本芝居とは、異なる。固体でも液体でもない、気体のようにフワッと消えていく芸だと僕は捉えている。「客席いじり」は、だからこそできることではあるのだ。シェイクスピアの舞台でハムレット役が立ち上がったお客さんに「**出るべきか、入ってくるべきか、それが問題だ**」なんて言わないだろう。

ただ、僕の「トーキングブルース」においても、それをやっていい場面とやらずにグッと話に集中して聞かせるシーンとがあるぞと、最近はチームに注意を受けている。まったくそのとおり。僕もまだまだ、自意識という悪魔とうまく付き合えるように訓練している途中だ。

●「しょせんはニセモノ」という開き直り

対談するとき、あるいは専門家に切り込んで何かを聞くとき。どんなに準備をしたところで、自分の知識は相手に遠く及ばないという場面を僕は数多く経験してきた。

そういうときは、**「しょせん自分はニセモノなんだ、だからいっそ付け焼き刃でいい」**という開き直りが本番に効くことがある。

それを強く意識したのは、「報道ステーション」だ。

アナウンサーになって以来、スポーツ実況、歌番組やバラエティの司会をやってきた僕だが、ジャーナリスト、政治部の記者や社会部の記者、経済部の記者はやったことがなかった。そういう人たちとの接点は長くあったけれど、自分はその道のプロじゃない。

それが、50手前になっていきなり「ニュースキャスターでございい」とばかりに登用される。ニュースキャスターは免許もない、国家資格もない職業なので、自己申告で語れる肩書きなのだが、どうにも落ち着かない。尻のあたりがムズムズして座りが悪い。

そうして毎日、感じるのだ。「自分は、ニセモノだな」と。

かといって、今からどれほど準備を積んだところで、ずっとその道のプロとしてやってきた人には、とてもじゃないが追いつけない。どこまでいっても、自分は「ニセモノ」として、その場に立つしかない。

その事実を受け入れられるようになってくると、ずいぶん気が楽になって、尻のムズムズがなくなってきた。そうして次第に開き直ってきて「しょせんニセモノなんだから、付け焼き刃だけでやりますよ」と腹が座ってくるのだ。すると、どんな相手にも——各分野の専門家、政党の党首、さらには総理大臣にだって、どんどん素朴にぶつかれるようになった。

たとえば、番組に今は亡き安倍晋三元総理が何回もやってきた。そこで、こんなやりとりがあった。

「古舘さん、ちょっと待ってください、ちょっと待ってください。そんなに気色ばまないで」

「あなたが気色ばんでるんですよ」

もし、本物の政治学者だったら、絶対にできない返しだろう。

ニセモノだからこそ、相手の揚げ足を取ってもいいという心持ちで対峙できたのだ。その軽薄さが自分の真髄であって、「重厚さはないんだ」という開き直りを持っていた。

ほかにも「報道ステーション」ではさまざまな専門家や政治家を招いて話を聞いた。選挙前には党首討論を仕切ったこともある。そしてそのどれも、ただの「喋り屋」である僕にとっては、専門外なのだ。

そうなると番組内の僕の役割とは何か。視聴者と同じ素人目線で、素朴な問いを発し続けることだ。

もちろん事前に山ほど資料を読んで準備し、「ここだけは聞いてやる」というポイントは絞り込む。準備は周到に。時間の許す限り、できる限りのことはする。

だが、専門的なことを語るのは各分野の碩学《せきがく》の役割である。そこに無理に食い込もうとしたって、どだい無理な話だ。

一方で、政治家に話を聞くには、自らも政治の専門家にならなくてはいけない道理もない。

そこで臆せずぶつかっていくためには、「いっそ付け焼き刃でいい」という開き直りが必要だったのだ。自分は専門家ではないという後ろめたさも羞恥心も劣等感もかなぐり捨てて、「付け焼き刃の素人考えですが、何か?」と開き直る。そうすることで初めて見えてくるものもある。

「報道ステーション」でメインキャスターをしていた頃、僕には、ずっとそんな意識があったように思う。現在、自分のYouTubeチャンネルで、いろんな方面の専門家に話を聞くときも、やはり同様の意識で臨んでいる。

「ニセモノの付け焼き刃」と開き直る、という準備は「報道ステーション」で初めて経験したことだ。ここでもうひとつ別の強さ、あるいは図太さを身につけられたと思うと、やはり未知なる世界には飛び込んでみるものである。

自信がなくても、経験が浅くても、それでいいのだ。思い悩むくらいなら、いっそ開き直ってしまえばいい。

開き直った者は強い。「できないやつと思われたらどうしよう」という恐怖心、「完璧にこなさなければ」というプレッシャーがさほど足かせにならず、臆せずに本番に向かうことができる。

そして逆説的だが、そんな心構えで臨んだほうが、結果、「本番の神様」とうまくやれることも多いのだ。

開き直りとは、いくら準備しても足りない気がする小心者、凡人だけが使うことを許された最強の武器だ。まさしく僕自身が、いい例である。

直前は、付け焼き刃くらいがちょうどいい。みなさんも、できる限りの準備を果たしたうえで、最後の最後は「しょせんニセモノ、付け焼き刃ですけど何か？」と開き直って本番に臨むといいのだ。

第4章　「自分らしさ」は圧倒的な準備に宿る

――準備の第1段階と第2段階

●基本中の基本に、自分の色味を入れていく

1989年、初めてのF1実況での大失敗から死にもの狂いの準備をして、1990年、初戦のアメリカグランプリでは何とか及第点の実況ができた。F1ファンに「F1村の住民」として認めてもらえたという手応えもあった。

それからというもの、毎年、怠けずに準備をした。放送席に持ち込むシートを作成したら、当日は、そのシートを目の端に捉えつつも、蓄えた知識・情報をもとに目の前で起こっていることを克明に描写する。これがF1実況の基本だ。

基本はだいぶできるようになった。すると、ムクムクと頭をもたげてくるものがある。「ただ克明に実況をするだけじゃ、つまらない。俺がやっている意味がない」――そう、さまざまな異名でレスラーたちを呼び、おかしな言葉で試合模様を描写していた、あのプロレス実況の手法をF1にも取り入れたくなってしまったのだ。

そこからは、基本的な実況に、自分の色味を少しずつ差し込んでいった。僕の喋りは、こういういやらしい隙間を狙うやり口なのだ。

先述の「**音速の貴公子　アイルトン・セナ**」以外にも、勝利に向けて要素をひとつずつ積み上

げていくアラン・プロストを「**F1詰将棋**」。すべての敵を圧倒していくようなミハエル・シューマッハなら「**ターミネーター走法**」。日本人離れしたルックスの日本人ドライバー、鈴木亜久里を「**F1エキゾチック・ジャパン**」と呼び……。

スポーツ新聞やF1専門誌で取り上げられて有名になったものも多い。

もちろん、その陰には死屍累々、自分でボツにしたキャッチフレーズも、何度か言うも世間に黙殺されたキャッチフレーズもたくさんある。どんどん鼻先が平たくなっていったフェラーリを「**赤いカモノハシ**」と称したこともあったが、繰り返してもまったくウケない。だから、3回でやめた。

そういった繰り返しで、少しずつウケるフレーズ、自分の喋りの個性をつかみ、さらに磨いて差し込んでいったのだ。

何事も、まず基本ができるようになることは大事だろう。しっかり準備して、なおかつ準備を削ぎ落として、本番で及第点を取る。

だが、基本をこなせるだけでは他に埋没してしまう。突出した存在として一目置かれたり、大きな仕事を任されたりと、より大きなチャンスに恵まれることは、おそらく、ないだろう。

だから、基本の中に自分の色味を差し込んでいく。「らしさ」を足して行く作業。それは商談中の雑談かもしれないし、プレゼン中にふと見せるプライベートな一面かもしれない。予想を覆すもの、予定調和の外側にあるものを見せられたとき、人の心は動く。

車を見に行った客も、ディーラーの人が、しばらくなんでもない雑談をしてから「関係ない話をしてごめんなさい」と言ってまた車の話に戻ると、それが功を奏して最終的には購入したりする。

今様にいうと「ギャップ萌え」だろうか。一見、商談にはそぐわない雑談、プレゼンにはそぐわないプライベートな一面、そういったものをうまーく差し入れることができるようになると、仕事をする人間として頭ひとつ抜きん出ることができるのだと思う。

さて、それではどうしたら自分らしさを加えていけるのか。ここからは、これまで僕が繰り出してきたフレーズや喋りを例に、少し具体的なノウハウをお伝えしていこう。

●準備の第1段階・第2段階 ── アンドレ・ザ・ジャイアントのエピソード誕生秘話

基本中の基本に自分の色味を差し込んでいく。そういう視点で僕がやってきたことを振り返ってみると、自分らしさを出していく準備には第1段階と第2段階があるといえる。

まず対象についてたくさん調べる。情報を集め、整理する。これが準備の第1段階。

この第1段階の準備を徹底的にすると、だんだんと自分の意識が対象そのものからはみ出て、広がり、いろんなイメージを取り込みながら妄想が膨らんでいく。これが準備の第2段階であり、自分の色味が出てくるところだ。

たとえば、アンドレ・ザ・ジャイアント。身長223センチ、体重260キロ超えという超巨体。ひとりの人とは思えないその大きさに、僕が**「人間山脈」「一人民族大移動」**というキャッチフレーズをつけたレスラーだ。

では、彼について実況した際の、準備の「第1段階」と「第2段階」を解説していこう。

まず、第1段階。

彼の本名はアンドレ・レネ・ロシモフ。フランス人である。1946年、セーヌ川とマルヌ川に挟まれた農村地帯、セーヌ＝エ＝マルヌ県に生を享《う》ける。その巨大な体躯から、当時はまことしやかに「出生はピレネー山脈」「レスラーになる前は木こりをしていた」などと言われていた。

1964年、18歳のアンドレは、パリでレスラーとしてデビューする。アンドレ・ザ・ブッチャー・ロシモフ、ジェアン・フェレ、モンスター・エッフェル・タワーと変遷し、ついにはアンドレ・ザ・ジャイアントとして世界に名を轟かせることになる。

こうしたバイオグラフィーやバックグラウンドを「お勉強」するのが、準備の第1段階。

そこで基本の前知識が頭に入ると、徐々に準備の第2段階に入っていく。

意識はアンドレそのものから離れて、彼がデビュー戦を飾ったパリ、パリといえばモンマルトルの丘へと広がる。初めてパリに出たアンドレの目に、エッフェル塔はどう映っただろうか。妄想が膨らんで、こんな語りが生まれてくるのだ。

「両親も兄弟もみな体が大きかったから、彼は〝自分は世界一小さい〟と思い込んでいた。モンマルトルの丘の見世物小屋で、アンドレは初めてリングに立った。姿を現すや否や、その巨大な肉体にどよめく観客たち。さらにパリでエッフェル塔よりも自分の背のほうが高いと気づいたことで、彼はようやく自覚した。〝俺の体はでかいんだ〟と」

どれほど大きな人間でもエッフェル塔より背が高いなんてことは、もちろん、ありえない。「〝自分は世界一小さい〟と思い込んでいた」というところも含めて、とんでもない作り話なのだが、重要なのは、この妄想の母体たる基本情報は正しいということだ。

つまり、事実ベースにちょっとした作り話、自分なりの誇張表現、それも、ありえないほどの創作を入れれば、「フェイク」「嘘つき」と責められることはなく、遊びのある表現として受け止めてもらえる。

また、アンドレ・ザ・ジャイアントが東京に来たときは、帝国ホテルに宿泊した。これも準備の第1段階として、しつこく関係者に取材して教えてもらったことだ。あの体躯では普通のビジネスホテルのベッドもバスルームも小さすぎるから、新日本プロレスが帝国ホテルのスイートルームを手配した。

さあ、この事実を手に入れるところまでが第1段階。ここから第2段階に入っていき、この情報の上に、また妄想が膨らむ。

帝国ホテルといえば東京・日比谷にある一流ホテル。だが一流ホテルといえば、赤坂にはホテルニューオータニもある。

東京の一夜目、帝国ホテルの大きなベッドにどっかりと体を横たえるアンドレ・ザ・ジャイアント。その眠りは深いだろうか。あるいは長旅の疲れか、はたまた試合の不安からか、悪夢にうなされることもあろうか。東京は狭い。あの巨大な体躯で悪夢の最中、寝返りを打とうものなら――。

「一夜の宿を帝国ホテルに求めたところ、夜中に悪夢にうなされたアンドレ・ザ・ジャイアント。苦しまぎれにゴロリと寝返りを打つ。はたして、翌朝、彼が目覚めると、そこはホテルニューオータニであったという」

これだって「お前、嘘をつくな」とは言われない。やはり帝国ホテルに宿泊したというのは紛れもない事実であり、それを大げさに脚色してみせただけだからだ。

こんなのは単なる余興、賑やかしであって、別にあってもなくてもいいものだ。

僕とて「このオレの表現を聞け」なんて悦に入って話していたわけではない。

ただプロレスという極上のスポーツエンターテインメントを、よりお客さんに楽しんでもらえるように、仕事として妄想話を喋っていただけだ。どうせやるからには、おもしろがってもらえたほうがいい。

準備の第1段階は、はっきりいって、あまりおもしろくない。だけど、その段階を経てみると、じわじわと自分の色味がにじみ出てくるという準備の第2段階が訪れる。

第1段階と第2段階の間に、明確な境界線はない。第1段階を第2段階に持っていくコツとかスキルもない。ただ、ひたすら準備の第1段階を進めていると、ヌルッと意識のフェーズが変異する感覚だ。

つまらないことは、やがて快感にむせぶ不埒《ふらち》な遊びにつながっていく。それを楽しみに、まず準備の第1段階をがんばることが、表現力を培う土壌となる。

●「ムラムラ」してくるまで、第1段階で追い込む

準備の第1段階では、ある程度、自分を追い込む必要がある。本当は資料なんて集めたくないし、読み込みたくもない。でも必要なことだから、自分を追い込んで資料を集めさせ、読ませ、整理までさせる、というのが準備の第1段階。

すると、だんだん飽き飽きしてくる。これは準備を始める前に感じていた「本当はやりたくない」とはまた別種の感情だ。ある程度の量の知識・情報が集まると、なんだか無性にその外側に

はみ出したくなってくる。いうなれば「ムラムラ」してくるのだ。

明確な線引きはないが、基礎的な知識情報の収集に飽き飽きして、ムラムラしてきたあたりが第2段階の始まりだ。事実の上で妄想が膨らみ始める。


「音速の貴公子」――F1のスーパースター、アイルトン・セナにつけたこのキャッチフレーズも、思い返してみれば妄想に次ぐ妄想の産物だ。

アイルトン・セナは母親がイタリア系のブラジル移民の二世。父はサンパウロで成功を収めた実業家で、アイルトンには、その父の愛車を6歳にして運転して公道で捕まったというエピソードがある――などなど、まずは例のごとく基礎情報を徹底的に調べる。サーキットを何周もするF1レースのごとく、はじめは何度も情報を読み返す。

いい加減、飽き飽きしてくる。ムラムラしてくる。さて、どうするか。

文字情報を追うのをちょっと止めて、セナの写真をボーッと眺める。マクラーレン・ホンダのガレージでメカニックと話しているセナ。

そうこうしているうちにF1世界選手権が近づき、開催国に飛ぶ。英語が話せる記者は、レースを控えた本人に直当たりで取材する。

僕は、その光景をウジウジ、ジクジクしながら遠巻きに眺めるだけ。英語ができなかったから直当たりしなかったわけではない。現にプロレス実況をしていたころは、カタコトの英語でレスラーたちに試合前のインタビューをしていた。

でもF1のときは、なぜかグイグイ話を聞きに行く気になれなかったのだ。

本人に直当たりするのは、いわば第1段階の準備の究極だ。そうするよりも、憧れの眼差しをもって遠くから眺めることで、僕は準備の第2段階、妄想を膨らませることに自分を誘《いざな》っていた。今、振り返ってみると、そうだったんだなと思う。

記者たちと話すセナ。声はほとんど聞こえてこないから、自ずと意識はセナの顔のパーツや表情の変化にフォーカスされる。

何事かを聞かれて答えているセナの唇を見ていたら、ふと「女優のジュリア・ロバーツみたいだな」と思った。じゃあ、セナを「**口元ジュリア・ロバーツ**」と呼ぶのはどうだろう。いや、まったくわけがわからない。ジュリア・ロバーツに似ていると思ったのは自分だけなのだ。ダメだ。ならば「**走るプリティ・ウーマン**」はどうか。もっと意味がわからない。ジュリア・ロバーツの話を重ねてどうする。

全然、いいフレーズが思い浮かばない。こんなことなら、本人に直当たりして準備の第1段階を極めたほうが効率的だったに違いない、と次第に感じはじめる。そうなのだ、準備の第2段階もまた、コスパやタイパの対極にある準備といっていい。妄想に次ぐ妄想は、無駄に次ぐ無駄。その果てに、何か見えてくるものがあるのか、ないのか。

まだウジウジ、ジクジクしながら宿に戻って、夜になってからも妄想は止まらない。準備の第2段階には、ただただ感性の愉悦がある。考え尽くすなんて立派なものじゃない。自由に妄想を遊ばせてみる頭脳の快感に自分を委ね続けた。

苦しいことって楽しくなる素《もと》なのだ。苦しいという固形のブイヨンは、お湯に投入すれば徐々に溶けていい味を醸していく。

●じっくり観察し、妄想する――「音速の貴公子」は、こうして生まれた

こうしてウジウジ、ジクジクしながら、妄想という感性の愉悦にさんざん浸った末に、「**音速の貴公子**」は生まれた。

また懲りもせずにセナを遠巻きに観察していたときのこと。

テスト走行を終えたセナがマシンから降りる。スタッフから紙コップを受け取り、ひとくち液体を含むと、フーッとため息。おそらく、あれはコーヒーだろう。そして、話を聞こうと待ち構えているプレスの元へと向かう。この一連の動きに、僕は、セナの重責と憂いを見たような気がした。

特に印象的だったのは、コーヒーをひとくち含んだ後のため息だった。

テスト走行を終えた直後、まだ思考も感情もそこにあるが、プロのドライバー、そして世界中から注目されるスターとして、いち早くプレスの質問に答えなくてはいけない。あのため息によって、セナは頭と心を切り替え、自分をプレスの元に向かわせるというギアチェンジをしているように僕には思えたのだ。

そこで思い浮かんだフレーズがある。

「**ため息ノブレス・オブリージュ**」——これはボツにせずに実況で言ってみたのだが、全然ウケなかった。「ノブレス・オブリージュ」とは、「貴族など身分が高いものは、犠牲的精神でそれ相応の責務を果たさなくてはいけない」といった意味合いの言葉だ。要するに、セナは一般人とは違う重責を負っている貴族であると表現したかったのだが、うまくいかなかった。

基本に立ち返れば、ここはF1だ。トップを張っているセナは、ものすごいハンドルさばきでサーキットを駆け巡る凄腕のドライバーである。

そして、やっぱり忘れられないのは、あのため息だ。

貴族的な憂いを宿した、あの色気のあるため息。いろんな期待やら責任やらを背負った貴族が、ものすごいスピードでサーキットを走り抜ける。あのスピード感を「音速」と喩えるのはどうか。セナは30代に入っているが、この光り輝くスターには「貴族」よりも「貴公子」のほうがしっくりくる。

そうだ、セナは「**音速の貴公子**」なのだ。

本当はこんなに順序立てて構築したわけではないが、強いて、あの時の思いつきを分解するならば、こういう感じだ。ウジウジ、ジクジクしながら対象をじっくり観察し、またウジウジ、ジクジクと妄想することで、ようやく生まれたフレーズだったのだ。

僕は自分の仕事が好きだし、楽しいと思ってきた。だけど、その道程は楽しいことばかりではなかった。むしろ苦しいことのほうが多かった。今だってそうだ。ひと皮むけば、ウジウジ、ジクジクした苦しみの連続である。

準備の第1段階と第2段階をグルグル、グルグルと繰り返すのは、とりもなおさず「産みの苦しみ」を味わい続けるということなのだと思う。そこに愉悦をも感じてしまう僕は、少しマゾ気質なのかもしれないが、そのおかげで今まで「準備、準備、また準備」で生きてこられたのだ。

●第2段階の武器となる「擬人化」と「妄想」

準備に第1段階と第2段階があることはわかったけれど、どうしたら第2段階でおもしろみのある表現ができるのかわからない――という方のために、ここで1つエクササイズをしてみよう。

今、僕の目の前にスターバックスコーヒーのテイクアウト用のカップがある。これにキャッチフレーズをつけてみるとしよう。

まず第1段階として、スターバックスがどこの発祥で、何年の歴史をもち、現在何ヶ国で展開され……なんて情報を調べる。あるいは、このコーヒーは浅煎りなのか、深い焙煎なのか、どうやって大量生産しているのか……できれば取材もしたい。さらに、今日このコーヒーを買った店舗はどんな人がいて、どのぐらいの混み具合で、みんなどんな様子で飲んでいるのか。「この八重洲の店舗は忙しそうだ」なんて取材でもいい。これが第1段階の中でも「お勉強」で得られるものだ。

続いて、カップの観察。白いカップに、緑の印刷。真ん中に女性の顔が描かれている。人魚伝説のイラストだ。そうして人の顔を見ていると、次第にプラスチックの蓋が帽子のように見えてきた。このあたりで、自然と第2段階に移ってきている。

そうしてふと思いつく。帽子で顔を隠すようにして、「**スタバのカップは照れ屋さん**」だと。コーヒーにまつわる容器も含めた全体像を、「照れ屋なんだ」と擬人化するのだ。

この「擬人化」が、第2段階においては一種の武器になる。たとえば、レスラーの髙田延彦の強烈な膝蹴りに「**わがままな膝小僧**」とつけたのも、膝の擬人化。膝には意思はないのだからわがままなわけがない。だからこそ、そこに不埒なおもしろみが生まれる。

反対に、人物であればモノに喩えるのも手だ。アンドレ・ザ・ジャイアントの「**人間山脈**」「**一**

人民族大移動」。これも、人を人以外のモノに喩えた例だ。
こういう比喩表現は、モノの擬人化、ヒトの擬物化の結果として「存在するはずのないファンタジーなもの」を生み出してしまうくらい振り切ったほうがいい。フェラーリの「赤いカモノハシ」がウケなかったのは、振り切りがイマイチ足りなかったために、なんとなく実在しそうなイメージがついてしまう、おもしろみに欠ける喩えだったからというのは、理由のひとつだろう。

さてしかし、スターバックスのコーヒーが「**照れ屋さん**」というのは、まだいまひとつ弱い。そこでだ。今度は「お勉強」で集めてきた情報をもとに、ジクジクと妄想を始める。

このカップの蓋はプラスチックだ。プラスチックは石油からできている。そこでドロッドロの石油をイメージする。そうしたら、クウェートなのか、イランなのか、中東の砂漠と夕景、そして夕暮れどきに砂漠の砂の下からしみてきたオイルが自然着火して、バァ〜ッと一面に炎が揺らめく光景が見えてくる。

ちなみにロイター通信を立ち上げたポール・ジュリアス・ロイターは、その夕景の篝火《かがりび》を見て「次は石油だ」と言い、石油の発展に寄与したという。

さて、この篝火の景色に「篝火、篝火」と執着しながら、他にもいろいろ発想する。プラスチック。SDGsを謳いながら、なぜプラスチックを使っているのか。コーヒー。アフリカや中南米で大量生産するプランテーション農業を展開しているとしたら、環境問題や労働問題にもつながるかもしれない。いや、その大量生産体制がないと、世界中のスタバは成り立たないだろう。そうしたら、このコーヒーの中にも、どこかの誰かの悲しみがあるかもしれない。そうして、石油だ。篝火の景色はロマンティック、けれども石油を巡って世界では戦争が起きている……。とすると、もしかしたら「**この中には戦の種がある**」と言えるかもしれない。

しかし、「戦争の種」とまでは、ちょっと言い過ぎだろう。公平な立場としてテレビやYouTubeでは出せないな……と判断したとしても、ここで終わりではない。

もうひとつ視座を高めて考えてみると「**スタバのコーヒーは世界のどこで飲んでも同じ味だと聞いた。そうだ、スタバで買うコーヒーの表面に、グローバルが見える**」とは言えるのだ。「**たった一杯のコーヒーの褐色の表面に世界が映し出されている**」と。そうすると、「え、何を言っているの?」と関心を持ってもらえ、そこからプラスチックや世界のコーヒー園の話、あるいは貿易の話なんかも広げていける。

さて、エクササイズはここまで。第2段階の発想について、少し具体的につかんでいただけただろうか。やはり大事なのはテクニックではなく、ジクジクと何度も考えを巡らせること、そして数を重ねること。しかしちょっと行き詰まってきたときは、「擬人化」と「妄想」のコツを思い出して試してみると、新たな扉が見えてくるかもしれない。

●スマホを捨てよ、街へ出よう

僕がプロレス実況をしていた頃は、スマートフォンはおろかインターネットすらなかったから、先に述べた「準備の第1段階」は、もっぱらスポーツ新聞やプロレス雑誌を読むことだった。スポーツ新聞は全紙くまなく目を通したし、『週刊ゴング』『週刊プロレス』『週刊ファイト』などの専門誌なんかは穴が空くほど読み込んだ。バックナンバーもよく取り寄せた。

こういう資料が会社にすべて揃っていたわけではないから、かなり自腹を切った。すべて仕事の必要経費だけど、会社には請求しづらいし、したいとも思わなかった。

こうして身銭を切って情報を手に入れることも重要だと思う。準備とは、自分を傷つけながら、自らのうちで何かを練り上げるプロセスだ。知識・情報を血肉とするためにも、自分を傷つける必要がある。この場合は、自分の懐、財布を痛めるということだ。

当時と比べると、今は本当に便利になったものだと思う。何しろ手のひらの中で一瞬にして情報収集できるのだから。たとえばGoogleやBingの検索窓に「アントニオ猪木」と入れるだけで、さまざまなエピソードを読むことができる。

ただ、そこにある情報も、元はスポーツ新聞やプロレス雑誌に掲載されていたものだ。当時は「最新のエピソード」だったものを、今は「昔話」として読めるだけ。驚くべき手軽さで、かつタダで入手できるという大きな違いはあるけれども、取れる情報の量が大きく変わったとは感じていない。

もちろん、国際情勢や最先端の科学技術となれば話は別で、ウェブを通じて世界中の情報が並列的に入ってくる今のほうが、はるかに情報量は多い。文明の利器は使ってみるものだ。僕もGoogle検索にはたいへんお世話になっている。

だけど、ここであえて言いたいのは、ネット上にある情報は結局、「みんながアクセス可能な情報」「みんなが知りうる情報」だということだ。

もう一歩、深い準備をするには、もう一歩、深い情報収集が必要だ。

かつて劇作家の寺山修司は「書を捨てよ、町へ出よう」と書いた。そのころの若者は本ばっかり読んで頭でっかちになっていたのだろうが、今はみんなスマホばっかり見ている。だから寺山修司風に言えば、「スマホを捨てよ、街へ出よう」だ。

今や、準備の第1段階はネット検索でいいと思う。だが、ある程度、ネットで知識・情報を収集したら、準備の第2段階では、ネット検索では簡単に出てこない情報を追い求めたいところ。そこでぜひすすめたいのが、「古書渉猟」だ。シリコンバレーから神保町へ。手のひらサイズのパソコンから離れて、古書店街へと自分を動かそう。

宝探しをするような気持ちで古書店を渡り歩き、ホコリを被った古い新聞、雑誌、書籍を開いてみる。手に取るものによっては、嘘か本当かもわからない、おもしろくて禍々しい情報の渦が広がっている。

ネット検索と違って、瞬時にドンピシャの情報に辿り着けるとは限らない。いや、辿り着けないことのほうが多い。その代わり、追い求めていた情報とは違うけれども、何か印象に残る知識や情報に遭遇することもあるだろう。

こういう探求のプロセスも含めて、普段とはまったく違う知的刺激を得られるはずだ。

「デカは現場100回。靴底がすり減るくらい歩き回らなきゃ有力な情報は得られない」なんていうが、足で稼いだものこそ有益というのは準備も同じだと思う。準備をネット検索だけで済ませず、古書店街を歩き回り、自分の骨身を傷つけ、財布を傷ませてこそ血肉になるものがあるのだ。

すぐに役立つことはなくとも、そこで得た知的刺激は確実に自分の中に沈澱する。こうして準備の幅を広げることは、そのまま表現力の幅、ひいては人間の幅を広げることにつながっている。

感覚値でいいから、パソコンやスマートフォンの生活支配率は6割くらいに抑えて、あとは街に出る。画面越しの情報ではなく、自分の五感で周囲の情報を捉える。高度情報化社会を支配するものから離れて、アナログの世界でウジウジ、ジクジクする。

ネットの世界をたゆたいつつも、その情報の海に沈まず、時には、そこから離れて街へ出よう。デジタル一辺倒の現代だからこそ、こういう時間を持つことが、いつか何かの準備として役立つこともあるはずだ。

すべてのインプットに、明確なアウトプット先が見つかるとは限らない。

むしろ、ほとんどが自分の奥底に沈澱したままで終わる可能性もある。だがすべては、無駄も不毛もつまらないこともぜんぶ含めて、最終的には「自分らしさ」を形成する壮大な準備だと考えればいい。

第5章　おもしろがらなければ負けだよ

——「記憶の沈澱物」が生きるとき

●準備は寄り道上等――「無駄」「不毛」を味わう

先日、ある打ち合わせに遅れてしまった。実は打ち合わせ相手には、15分ほど開始時間を前倒ししてほしいとこちらからお願いしていた。にもかかわらず、元の予定より5分遅れてしまったのだ。しかもその理由が、寄り道をしていたからという。本当にひどい話だ。現地に到着してみたら、先方の方が寒空の下で待ってくださっていて、本当に申し訳なかった。

しかし、道中、遅刻してでも寄り道しないと気が済まないほど、どうにも気になって仕方ない店が目に止まったのだ。

銀座の一角に佇む、ちょっと風情のある店だったが、どういうわけかインバウンド観光客と思しき人たちが行列を作っている。僕はマネージャーと共にタクシーに乗っていたのだが、店の前を通り過ぎざま、ざっと見た感じ25人は並んでいただろうか。

一見してトルコ共和国辺りからお越しになったと思われる、だとするとトルコの首都はアンカラ、明らかな**アンカラ顔**。**顔面アンカラ**。その後ろに、「オランダからきました、実家は埋立地なんですよ」みたいな方々。まさに「**運河沿いですか?**」と伺いたくなるようなオランダ系の方が

3、4人並んでいる。

とにかく、在留外国人ではなく、明らかにインバウンドの人々なのだ。銀座が外国人観光客に人気の土地であることはわかっている。それにしても、なぜ、とりわけあの店に行列ができているのか。

通り過ぎたときにあかりが灯っているのは見えたから、営業しているのは確かだ。しかし、ただの喫茶店の類いでこんなにインバウンドの方が並ぶものだろうか。でもあの佇まいはラーメンではないし、パンケーキのお店であんなに並ぶかもわからない。

一度気になりはじめたら、何のお店で、なぜ行列になっているのか、もう気になって仕方がない。ストレートに向かえば、予定どおり15分前に到着できる。でも、どうしてもあの店の謎を解明したい。

結局、僕が何をしたかというと、運転手さんにお願いして、一方通行だらけの道をグルリと大回りして店の前に戻り、ほんの少しだけ停まってもらったのだ。その間にマネージャーがさっそくググってくれて、それがコーヒー屋さんであることがわかった。

「ほう、あれはコーヒー屋さんなのか」と、ふたたび店を見てみると、行列客のうちのひとり、上品な背の高い、歳の頃は50ほどとみえるご婦人が目に入った。白髪まじりでメタルフレームのメガネをかけ、黒いニットに黒いコートで全身黒。インバウンドらしき人が多い中で、この方は日本人に見えた。

そのご婦人がキッとこちらを見てきたのだ。まるで「不審な車が停まった」みたいな、ものすごい警戒心を抱いているかのような視線だった。

よほど僕らが怪しく見えたのか、はたまた行列に並ばなくてはいけないことにイラついていたのか、ご婦人の胸のうちは知りようもない。だが、その一瞥のくれ方、その表情の意地悪そうなこと！　これは……**「深い焙煎の顔」**なのだ。

お店の前に停まっていたのは、ほんの7秒ほど。たったそれだけの時間で、普通のコーヒー屋さんの前で、僕にとってはあの深すぎる焙煎のような苦みばしった一瞥をくれる上品なご婦人の姿が、忘れられない。

結局、なぜそこまでの人気店なのかは、突き止められなかった。あのご婦人の「深い焙煎の顔」だけが妙に印象に残ったまま打ち合わせ場所に向かった結果、15分の前倒しどころか、もともとの開始時間よりも5分ほど遅れてしまっていたわけである。

申し訳ないが、この話にオチはない。

まさに無駄。まさに不毛。それも、この無駄・不毛は、そんじょそこらの無駄・不毛とは違う。こちらからお願いした前倒しの15分＋5分、トータル20分も打ち合わせに遅刻し、相手に迷惑をかけてまで味わった無駄・不毛なのだ。

申し訳なさ、後ろめたさとセットになった、この記憶は色濃い。ひょっとしたら、あのご婦人の「深い焙煎の顔」の記憶は僕の中に沈澱して、あるときフワッと浮き上がることがあるかもしれない。

準備は、常にアウトプット先が決まっているわけではない。もっといえば、アウトプット先が決まっている準備しかしないようでは、つまらない。

すぐに役立つわけではない知識・情報に触れるのも無駄や不毛のうちだ。ちょっと視野を広げてみれば、世の中には、見ても仕方ない、知ってもどうにもならない無駄・不毛な情報も溢れている。コスパ・タイパ至上主義だと、そういうものはすべて切り捨てることになるのだろうが、なんともったいないことだろう。

今日、あえて味わった無駄・不毛が、いつか何かの役に立ったとき、「思えば、あれも準備だったんだ」と、ひとり勝手に納得できたらいい。そのほうが仕事も人生も、はるかにおもしろくなると思うのだ。

ちなみに、この時の打ち合わせは、本書の制作にあたっての取材だった。寄り道したことが原稿の一部になったのだから、結果的に遅刻もお許しいただけるだろうか。遅刻自体は褒められたことではないが、寄り道して得られた記憶が本の内容として生きたのだから、やはり「**準備は寄り道上等**」なのである。

●最強の記憶術は「おもしろがること」

人間は不思議なもので「これは忘れちゃいけない」「これは大事だ！」と思うことほど、覚えなければと考えたことは記憶しているのに、その中身は忘れてしまうものだ。みなさんも、そんな経験があるのではないだろうか。

大事なことを忘れてしまう理由。それは、「大事なこと」はおもしろくないからだ。

「これは大事だ、覚えなくては！」と考えた時点で、脳は強迫的なストレスを感じ、拒否反応を起こす。「つまらない」と感じる。

でも僕たちは、大事だから覚えようとがんばる。特にもう70歳で短期記憶の力が薄れているのも自覚している僕は、何かを新たに覚えるには反復あるのみ。「大事だ、大事だ」と2回唱えてもダメ。「大事だ、大事だ、大事だ」と3回唱えても、5回唱えても、忘れる。7回くらい「大事だ」と言い聞かせて、ようやく短期記憶にねじ込む。

はたして3週間ほど後——きれいさっぱり忘れているのだ。

「大事だ！」と言い聞かせた、「大事だから覚えるんだ」と唱えていたときの情景は全部インプットされている。なのに、一所懸命に覚えようとしたその中身、「何を大事だと思ったのか」がわからない。油絵を入れている金色でクラシカルな額縁は明確鮮明に覚えているが、肝心の絵を忘れてしまうのだ。

だけど、「これはおもしろい！　覚えておこう」と思ったことは、ほぼ忘れない。

脳はおもしろいことが大好きなのだ。

最強の記憶術とは「おもしろがる」こと。

そうしてふとしたときに触れた知識・情報が記憶の奥底に沈澱し、ある絶妙なタイミングに、意図せずフワッと浮き上がってきて役立つこともある。

何事もおもしろがってみることで、よくわからないガラクタみたいなことも含めて、**「記憶の沈澱物」**が折り重なる。それはいつか役立つかもしれないし、役立たないかもしれない。ぜんぶ含めて自分という人間の幅、あるいは厚みを増す準備なのだ。

●正常な脳を怒らせる —— 映像記憶を残すコツ

「おもしろい」以外にも記憶につながる引っ掛かりを作る方法はさまざまにある。

ある冬の日、高層ビルのガラス張りの一室で仕事の打ち合わせをしたときのこと。その日は朝からみぞれ混じりの雨が降っていて、部屋に入ったときには、ほぼ雪に変わっていた。東京・神谷町のあたりのビルだったから、窓からは都心の高層ビル群、さらには東京タワーが見える。なかなかに印象的な景色だった。

もしこれを「記憶の沈澱物」として自分の中にしまいこみたいとしたら……僕は、スマホで写真を撮らないことをおすすめする。

では、どう記憶するのか？　こんな具合でやってみるのだ。

まず、ただじっとこの景色を見つめて、もうとにかく、ここはニューヨークだと思おうとする。もちろん、ここは東京だし、「マンハッタンの雪模様を、摩天楼のトップから見ている。ペントハウスから眺めているニューヨークなんだ」とどんなに言い聞かせたって、おかしいのだ。目の前の東京タワーだって、あの先の尖ったクライスラービルに見立てようとするのは、とうてい無理がある。

それでも「ニューヨークだ」と思い込もうとしてみる。そうすればするほど、明らかに脳がガチャガチャしてくる。その違和感に、真っ当な脳が葛藤して怒り出すわけだ。その軋轢の摩擦熱で、目の前の映像を脳に焼き付ける。

「何を言っているのか」と思われるかもしれないが、もし単純に「神谷町で東京タワーが目の当たりにできて、高層ビルがいっぱいある」と捉えたとしたら、どこにも引っ掛かりがなくて忘れる対象になってしまう。だから、忘れないために、あえて「普通はこんなものに入れないよね」

というところへタバスコをドバッと入れるようなことをする。対立するもの、矛盾する変なものをぶち込んで違和感を作ることで、とりあえず思い出せるようになるのだ。

この映像記憶にアウトプット先は用意されていない。誰からも「この景色を覚えておいてほしい」なんて言われていない。

だけど、ひょっとしたら、いつか「高層ビルの一室から眺める、雪の都心」を描写することがあるかもしれない。

そうなったらきっと、あの雪の日、正常な脳を怒らせながら「ニューヨークだ」と思い込もうとした都心の景色が、記憶の奥底からフワッと浮かび上がる。その景色が今まさに目の前に広がっているかのように喋ることができるだろう。

日常的なスナップ写真や記念写真を撮るときは、僕だってスマホのカメラを使う。カメラを持ち歩く必要がないのは、やっぱり便利だなと感心する。

でも、目の前の景色を映像記憶しておきたいとき。「準備」として記憶の沈澱物に加えていきたいときは、スマホでは撮らない。

その代わり、「**脳を怒らせる**」という方法を取るのだ。

●古舘流スクラップ術――「違和」を作って記憶に残す

違和感によって記憶が沈澱しやすくなるのは、映像記憶に限った話ではない。たとえば、僕は新聞のスクラップにも活用している。

僕は朝日新聞の朝刊に載っている「折々のことば」というショートコラムが好きで、ほとんどチェックしている。哲学者の鷲田清一さんが最近読んだ書籍などの一節を引き、ひと言、感想や考察を寄せるというものなのだが、実に味わい深い。「この言葉、ぜひ覚えておきたい」と思う回も多い。どうしても我慢がならず、切り抜いてスクラップしたくなることもある。

ところがこのデジタル時代、切り抜いてスクラップするというアナログな作業をすると、それだけで安心して終わってしまう。結果、満足して記憶に残らない……ということを、経験上でわかってはいるのだ。

そこでスクラップをするときは、わざとギザギザに引きちぎる。

手でビリビリと引きちぎるのだ。別の記事が入り込んでもお構いなし、わざと汚くする。

そして、それをサイドテーブルに、わざとグチャッと置いておく。「これが拡大していくと、ゴミ屋敷になるだろうな」というような「**ゴミ屋敷コーナー**」を部屋の一角に作るわけだ。そうすると、いやでもふとした時に目に入る。ギザギザのヤな感じが。

僕は根っからのズボラ人間だ。だが、ここでハサミやカッターを使ってきれいにスクラップしないのは面倒だからではない（それも少しはあるが）。

ズボラだが、僕は神経質でもある。ペンが斜めに置かれていたら、ついまっすぐに直してしまうくらい。そんな僕にとって、四辺がギザギザでグチャッと置かれた新聞記事の切り抜きなんて、この上なく気持ち悪い光景なのだ。目に入るたび神経に触る。

だからこそ、あえてギザギザに引きちぎり、グチャッと置いている。

そうして、ふと思い出したくなったときには「ゴミ屋敷コーナー」を漁って、そのスクラップを探し出す。「いつだっけなぁ。効率悪いなぁ、このコスパ・タイパ時代に……」とイライラしながら。すると、そのストレスを経ているから、目的のものが見つかったときに、「そこにある言葉を丸ごと飲み込もう」というモチベーションが生まれる。

つまり、僕は覚えておくために、あえて違和を作っているのだ。

人の性格はさまざまだから、向き不向きはあると思う。神経質と聞いて「自分にも覚えあり」と思った人は、一度試してみるといいかもしれない。

ところで、今は朝日新聞デジタルに過去の記事がアーカイブされている。「折々のことば」も例外ではない。僕もたまにデジタル版で見ては、「このいい言葉……」とデバイス上に保存しようとすることがある。でも、やめる。保存すると、「いつでも見られる」と安心するから、保存したという事実をもって忘れてしまう。

僕はこれを「**契約したスポーツジム理論**」と呼んでいる。理論でもなんでもない、ただの思いつきだが、「理論」と付ければ前々から考えていたように見える。これがいやらしいなぁと思って言ってみたのだが、スポーツジムとは多くの人にとって、行くところではないと思うのだ。会員になり、「これで毎日のように行ける」と思って安心した結果、行かなくなる場所。もちろん、定期的に通う方もいるだろうが、僕のようなズボラ人間であれば、「幽霊会員」になっている人が多いのではないだろうか。

記憶も「契約したスポーツジム」とちょっと似ている。スマホの中に保存してしまうと、いつでもすぐにアクセスできるので覚えない。そして、いつでも見られると安心するので、思い出そうとすることも減り、『折々のことば』にいい言葉が載っていた」という記憶そのものが消えてしまう。「幽霊会員」ならぬ「**幽霊記憶**」だ。

中には、デジタルを活用するスマートな方法が向いている人もいるだろう。だが僕には、どうも馴染まない。安心するといろんなことを忘れていって、引っ掛かりがなくなってしまう。残念ながら僕のような捻くれ者には、向いていないのだ。

スマートフォンにスマートに保存したところで、何も覚えられっこない。要領の悪い僕には、面倒くさくて時間のかかる方法が一番合っている。

ギザギザの切り抜きは、あくまでも記憶のトリガー。そこに書かれていることを丸ごと覚えておくためのものではなく、「なんかいい言葉が載っていた」という違和の引っ掛かりだけ残しておいて、後から手繰ることができるようにしているわけである。

●メモを取る、溜める、見直す

僕の「準備学」においてメモは非常に重要なポイントだ。

いくら「おもしろがるのがいい」「違和を作ろう」と言ったって、その方法が合わないことはある。特に準備の第1段階、情報収集においては、まずは真面目に調べる「お勉強」が欠かせない。知らない単語はいくら自分で妄想したところで意味のある記憶にはならないし、何から考えたらいいか判断がつかないほどの土地勘がないことを取り扱うときに、まず全体像をつかむには、やはりまず調べるのがいいだろう。

この「お勉強」と、さまざまな記憶術をつないでくれるのが、メモなのだ。

ただし、僕にとって、メモは「これは覚えておかなくちゃ！」というように鯱張《しゃちこば》って取るものではない。もっとフワフワと、いい加減なものである。

僕の家には、いつでもメモを取れるよう4ヶ所ほどにメモ帳が置いてある。メモ帳といってもノートではなく、メモパッドと言ったほうがわかりやすいかもしれない。どこにでも売っているような何の変哲もないものだ。

出かけるときも、常にメモ帳は洋服のポケットかカバンに入っている。そうして、ちょっとでも気になったことや、気になったフレーズがあれば、さっとメモを取る。それもきれいにまとめたりはしない。バッと走り書きだ。

メモを取るときに使うのは、いつも鉛筆。漢字などを間違えたら消しゴムで消して書き直せるようにするからだ。すると、「間違える、消す、書き直す」という一連の作業が自分の中で「傷」となる。だから僕は、メモにはアナログをおすすめする。

スマートフォンのメモアプリを使ってもいいのだが、僕から見ると、間違えた痕跡が残らないという難点がある。そもそも漢字は自動変換だから間違えようがない。変換ミスは起こりうるけれども、それだって一瞬できれいに修正できてしまう。

それが何だか物足りない。「こんなことを書き間違えて、まったくしょうもない」と傷ついたとか、あたふたしたとか、うろたえたとか、何かしら無様な自分を味わって手応えを感じたいのだ。やはり僕には、ちょっとマゾっ気があるのかもしれない。

話を戻そう。そういうわけで、メモは決まって鉛筆で取る。

それから、メモ帳からビリッと破り取って、ひとつの箱にパサッと入れておく。メモの吹き溜まり。スクラップと同じような、ただ同じ場所に集めておくという管理方法だ。そうして、ある程度メモが溜まってきたら、ランダムに取り出して見直す。

溜まったメモを見直していると、「この言葉、やっぱりいいな」「すっかり忘れていたけど、こんなおもしろいことがあったのか」と思えるものもあれば、「こんなこと書いてたんだ、つまらないな」というものもある。すべて、自分が感銘を受けたり興味を惹かれたりして取ったメモには違いないのに、いくつかは色褪せて見える。

雑貨屋さんでの衝動買いのようなことがメモでもたびたび起こるのだ。何かを発見したことで「なかなかいいんじゃないか、どこかで使えるぞ」と酔いしれてメモを取る。でも、一日経ってみると全然おもしろくない。

そういうものは捨ててしまおう。

取ったメモがおもしろいか、おもしろくないかは、どちらでもいい。まずは、ちょっとでも気になったらメモする。そうして、後から見返して自分にとってあまり必要がないなと思ったら、どんどん整理整頓していく。

立派なメモ帳に書かれていたら、どれも大事に思えてしまって、この取捨選択ができなくなりそうだ。だから何の変哲もないメモ帳に書いて、無造作に箱に入れておく。こうして、あえてインプットを乱雑に扱うことで未練がなくなり、フルイにかけやすくなる。数日前のメモを見返す時間で、自分を楽しみながら、そこで残ったものにより、記憶の沈澱物がまた少し分厚くなる。

ちなみにメモは1日に10枚書くこともあれば、まったく書かない日もある。メモを見直すタイミングは特に決めていないけれど、だいたい3日に1回。そうしないと、なんだか気持ち悪くなってくるのだ。

しばらくメモを取っていないと焦る、しばらくメモを見直していないとやっぱり焦る。この焦燥感をガソリンにして、「メモを取る→溜める→見直す」というのを繰り返している。

以前は、もう少しがんばってメモを取っていた。録画した映画やドラマを見ている最中に「いいセリフだな」と思ったら、いちいち一時停止して書き留めたり。でも、強いて覚えておこうとする悪あがき自体をやめてしまった。いってみれば、僕には少なからず記憶の「去るものは追わず」主義なところもあるのだ。

日々、さまざまなインプットがある中で、脳の海馬のザルの目から、どんどん記憶がこぼれ落ちていく。それでもザルの目に引っ掛かっているものだけが長期記憶に移動する。それでいいんじゃないかと思う。

もちろん、受験や資格試験ではそういうわけにはいかない。しかし日々、接するものについては、忘れるものは忘れる、去るものは追わない、これでいいと思う。そもそも、この情報洪水時代、入ってくるものが多すぎるのだ。

メモを意図的にぐしゃぐしゃにして取っておくという、非効率的な準備。これもまたタイパから は程遠い方法だが、すぐには役立たないものを、ひょっとしたら訪れるかもしれない「いつか」のために沈澱させておくにはうってつけだ。

●自己否定から始めるメモ継続術

とはいえ、メモを取るのは面倒だ。この面倒くささを引き受けることも僕の準備学の要諦なのだが、正直に言うと「メモを取ろう」と思った途端、やる気を失う。

そこで何とか自分にメモを継続させるために、僕は「**せめて、メモくらいは取れよ**」と思うことにした。

日々のインプットを書き留めておくなら、本当は日記をつけたほうがいい。文房具店に行けば

「3年日記」「5年日記」なんていうのも売っているから、世の中には、毎日、日記をつけている人がたくさんいるのだろう。

だけど、僕にはとうてい無理だ。毎日、日記を書くなんてできない。一念発起しても3日坊主で終わるのがオチだろう。そんな自分は、なんてだらしなくてダメなやつなんだ。

でも、メモだったらどうだろう。毎日、日記を書くことはできなくても、何か興味を惹かれることがあったときに、サッとメモを取るくらいならできるかもしれない。いや、せめて、それくらいはできる自分でいなくては——。

こんなふうに、とうてい自分にはできないこと、この場合は「日記」を引き合いに出して、メモを取る労力を相対的に軽く見せ、自分を何とか奮い立たせているのだ。

僕みたいなサボり魔の人間は、まず自己否定して落ち込んでからのほうが、必死にメンタルを回復させたいあまりに継続できる。「毎日、スポーツジムに通うことはできない。本格的な筋トレなんて絶対に続かない。だけど、せめて1日30回だけスクワットをしよう。それくらいは継続しろ」というような感覚である。

世の中ではポジティブシンキングが良しとされているけど、ネガティブシンキングにも効果効能があると思うのだ。とりあえず前向きに考えるのではなく、とりあえず落ち込んでみる。ウジウジしたら、あとはリカバーするしかない。

「日記を継続できない自分はダメだ、どうしようもない……」と、自分のウィークポイントを取りざたしているうちに、ウジウジしながらも「せめてメモくらいは」と思いはじめる。実際に手を動かしはじめる。やがては習慣化する。こういうセルフマネジメント法があってもいいだろう。

世の中には、努力なんてかけらも見せない立川談志みたいな天才もいれば、瞬時に打てば響くようにおもしろいことが言えるお笑いの天才もいる（それはそれで、天才にしかない苦悩が垣間見えることもあるが）。

そのどちらでもない僕みたいな凡人は、己を否定してみたり、焦らせてみたり、傷つけたりと自分に策を仕掛け、何とか「準備しないと仕事にならない」「生きていけない」という方向に動かしていくしかない。

●準備のアップデートは、あえてぐちゃぐちゃに

普段のメモはビリビリッと破いた小さな紙切れだが、時には手帳を使うこともある。特に「トーキングブルース」のネタの準備では、7割程度固まってきたところで手帳に書いている。

ブランド好きでミーハー野郎な僕は、これにルイ・ヴィトンの手帳を使っている。「ルイ・ヴィトンなんだから書こうよ」と自分を鼓舞できるのだ。そして、ブランド物の手帳にきれいに書いている自分に酔いしれる。こうして「形から入る」のもひとつだろう。

だが、このルイ・ヴィトンの手帳への書き込みも、アップデートしていく過程でどんどんぐちゃぐちゃにしているのが、僕だ。

「トーキングブルース」は1988年に始まり、2004年、「報道ステーション」のメインキャスターを引き受けたことで休止した。2014年には古舘プロジェクト30周年記念で特別開催し、その後、2020年に再開している。

年に一度、僕が2時間15分にわたって喋るだけ、というソロトークライブ。台本はない。綿密に練られた構成のメモはあるが、舞台には持ち込まない。すべて脳内にインプットして、本番に

臨む。

そこには時事ネタも盛り込まれているから、半年ほど後の追加公演であっても「このネタは、もう古くて使えないな」というものが出てくる。古来、語り継がれている落語や講談と違って、アップデートしなくてはいけない。家の骨組みを残して内側だけ改装するようなもので、大筋は変えずに、差し込むネタを変更していく。

このように準備を見直し、調整を加えるときも、鍵となるのは「違和感」だ。

第3章で、F1の実況をしていた頃に放送席に持ち込んでいた手製のシートを紹介したが、久々に取り出して眺めてみたら、びっしりと書き込まれたメモの上に、赤丸やらマーカー線やらが入っている。きれいなメモではなくなっているが、当時から、このぐちゃぐちゃが良かったのだろう。

「トーキングブルース」のメモは、さらにひどい。追加公演が決まったら、本公演のときのメモを上書きするのだが、清書なんかしない。ただ、ひたすら「汚す」。色分けすらせず、誰にも読めない、自分でさえ読めないくらいの手書き文字で元のメモを汚していく。ごちゃごちゃと書き込んでいったほうが、記憶に残るからだ。

すでに元のメモを脳内にインプットし、何回かは公演しているというのが、厄介だ。一度は準備を完了し、いわば「完成品」としてお届けしたものを、一部変更してお届けし直さなくてはいけない。相当の違和感を刻みつけなければ、元のメモの残像がチラついて、アップデートした内容が出てこなくなってしまうのだ。

なんてエラそうに言っておきながら、結局は元のメモにとらわれてしまい、追加公演の舞台上で「次、なんだっけ？」と言葉に詰まったこともある。何とか言葉を継ぎながら逡巡する3秒ほどが30秒、1分にも感じられる恐怖体験だ。人には「準備の奴隷になるな」と言いつつも、油断すると自分自身がそのドツボにハマって四苦八苦している。僕も、まだまだ準備学師範の道半ばなのだ。

●沈澱している記憶が、あるときふと役に立つ

会話の中でふと含蓄ありげなことを言うと、相手は感心してくれる。「古舘さんはアドリブの力量がすごい」なんて言ってもらえることもある。まるで自分が教養深くて、常に機転の利いたこ

とを言える人間みたいに思えて実に気分がいい。

しかし本当のところ、人が「アドリブ」と呼ぶものも、自分でも「これはアドリブかも」と思ってしまうものも、ほとんどはアドリブではない。

それこそ、記憶の奥底に沈澱しているものが浮き上がってくるような感覚だ。


世の中には男女問わず、「味があるな」という人がいる。教養をひけらかすでも、知ったかぶるでもなく、ただニコニコと話を聞きながら、時折ボソッと印象深いことを言う人。浜辺の貝殻みたいにかけらだけポロッと落として、その後はまた黙ってニコニコしている人。

あの「味があるよね」と言われる人は、ほとんどが「**沈澱系**」だ。こういう人は、男性からも女性からもよくモテる。それで僕がどれだけ苦々しい思いをしてきたことか。思い返せば、ふとした瞬間に含蓄のあることを言える人々を、僕は「沈澱系め〜」と思いながら眺めてきた。

僕だって、本当は沈澱系になりたい。だけど、なれない。もう、沈澱する前から舌が動いているのだ。

そこで、ここでも開き直りだ。喋り屋の僕は、「沈澱男」にはなれない。ならば、沈澱系の内弁慶になろう。そうして沈澱系を目指す所作としてやってきたのが、ここまでご紹介してきた記憶術の数々なのだ。

あえて新聞記事をビリビリと引きちぎって違和を残す。あえて鉛筆でメモを取って乱雑に扱い、時折、見返す。こんなふうに自分に負荷をかけ、時間も労力も割いて「記憶の沈澱物」を作るという方法は、元を辿れば、かつて感じていた「沈澱系」に対する嫉妬の裏返しの憧憬から始まっているといっていい。

要領は悪いし、カッコよくもない。そのことを嫌と言うほど自覚している屈折した男が実践してきたことだが、こんなに王道から外れた手法が誰かの役に立てばと願っている。きっと世の中には、王道をさんざん試しても効果を感じられなかった人もいるだろう。


日々、インプットをする。「いいな」「興味深い」などと思うものに出会う。ビリビリと引きちぎる。鉛筆でメモを取って溜めておく。あるいは「この記憶が跡形もなく消えるなら消えればいいさ」と、あえて放っておく。

どうしたって忘れるものは忘れる。自分の無能さに絶望しそうになるが、そんなときは、数学者の森毅先生がおっしゃっていたことを思い出す。

いわく、「**人間は忘れる能力があるからこそ、発狂せずにいられる**」のだ。

ほとんどのことは忘れてしまう。だけど、記憶の奥底に沈澱した何かは残る。あるタイミングに、何かの刺激を受けてかき混ぜられて、フワッと浮かび上がってくる。それを捉えて口に出したものが、僕の「アドリブ」の正体だ。

自分でも、それがいつインプットされ、沈澱したのかを覚えていない。だから、まるで天から言葉が降りてきたかのように感じることも多いのだが、本当は、逆に自分の奥底から浮かび上がってきたのだ。過去の記憶の沈澱物が、その時フワッと浮かび上がってきただけである。油分と水分が分離しているイタリアンドレッシングのボトルを、シャカシャカと振ったときみたいに記憶がかき混ぜられて、フワッと底から浮き上がってきたものを掬い上げて言葉にしているに過ぎない。

いつ役立つともわからない、アウトプット先が定まっていない準備。準備を樽に詰めてウィスキーのように寝かせておく。ずーっと寝かせ続けるのだ。

そして、忘れた頃にフワッとにじみ出てくるのだ。30年ものアドリブが……。

そもそもアウトプット先が定まっている準備ならば、誰だって一所懸命やるだろう。

仕事で頭一つ抜きん出るには、いかに人がやらないことをやり続けるか。だとしたら、アウトプット先が定まっていない準備を、日頃どれだけ積み重ねられるか、ということも仕事人生を左右するといってもいいだろう。

●古舘流「ＡＩ騙し」――自分を枠にはめないための準備

何気ない日頃のインプットは、スマートフォンから触れる情報が入り口になる場面が多いのが昨今だろう。しかし、インターネットで提示される情報には注意が必要だ、というのが僕の考え。何もせずに受け入れていたら、どんどん自分の枠が小さくなっていくという危機感がある。

ある晩、Netflixで動画を見ようとしたとき。「伊知郎さんへのおすすめ」として、まったく興味のないスペインのガリシア地方のサスペンスドラマが出てきた。そのときは「ＡＩもバカだな。オレはそれを見たいとはみじんも思わない。いや、ＡＩに投影されたオレがバカなのか。いやでも、天然のオレのほうがマシだな」なんて思って、通り過ぎた。

ところが、その10日後。ふと気がつくと、まさにそのガリシア地方を見ていたのだ。ただ何気なく見はじめたのが、ガリシア地方だった。それが10日前におすすめされた動画だと気がついたときの驚きたるや。ＡＩが自分を先回りして、自分でも自覚していない、気づいていない好みを知ってしまっている。ＡＩが「僕より僕」になってしまっているのだ。

それ以降、絶対に僕はＡＩと戦ってやると思うようになった。

あれこれとＡＩが提示してくるものは「自分に最適化された情報」と捉えることもできる。適度であれば、それで問題ないだろう。

しかしその便利さに、デジタルデバイスを手放せなくなり、支配されてはいないか。

もし、スマホをなくしたとしたら……多くの人が大慌て、大パニックになるだろう。自分を置き忘れても、スマホは置き忘れない。主従の逆転。「歩きスマホ」というけれど、あれだって、スマホが僕をひきずって歩いているんじゃないか、と思う。「歩き自分」だ。

デジタルデバイスは、本来、僕らが便利に使う付属物であるはずだ。

ところが、いつの間にか、自分のほうがデジタルデバイスの付属物みたいになってはいないだろうか。デジタルデバイスを通じていろんな提案をしてくるＡＩに従って、行動するようになってはいないだろうか。

僕が天邪鬼なのかもしれないが、それでいいとは思えないのだ。データ処理が得意なだけのAIなんぞに、自分のすべてを把握されているかのような状況は癪に触るし、気持ち悪い。そのうえ、次の行動を決められるなど、まっぴらごめんなのである。

そこで僕は、意図的にAIを騙すために、毎朝起きたら取り組む日課がある。あえて自分のまったく関心のないことを検索して、「私」に関するデータを撹乱するのだ。たとえば「**アメリカンキルト　作り方**」などと。ふざけた話だと思われそうだが、笑い話ではない。僕はかなり真剣だ。そうすると、夜にスマホを開いたとき、訳のわからないほどいろんな情報が出てくるのだ。それを見て、僕はにんまり。AI、ざまぁみろ。どうぞ混乱して、そちらなりにご準備ください。

AIの判断基準は、過去の僕のデータだ。それに基づいた提案に従うのは、言い換えれば、過去の自分に縛られるということ。ひょっとしたら最適化の対極にあるような「不適合な情報」に、今まで思ってもみなかったような新たな興味関心の扉があり、そこからまた別の自分の可能性が開かれるかもしれないというのに。

僕はまだまだ自分を狭い枠に閉じ込めたくない。だから今日も思いつくまま、せっせと「**ダルマ絵　描き方**」「**そば打ち　教室**」「**薬物劇物取扱責任者　資格　取得法**」などと検索窓に入力する。こうしてＡＩを騙す習慣を持つことは、どんどんデジタル社会が加速する中で、今後も自分を枠にはめずに主体的に生きていくための「備え」になると思うから。

ＡＩへの足掻きも、続けてみると、やがて楽しくなる。どうしてもスマホを見てしまってデジタルデトックスができないという人には、おすすめしたい。

第6章　人間関係も準備が作る

——一瞬で相手の懐に入り込む方法

●初対面は「出会いの第1打席」

取材やイベント、雑誌対談などでは、しばしば、初めてお会いする人とお話しすることがある。ここはもう、勝負どころだ。この「**出会いの第1打席**」で粗相があってはいけない。よく知っている人との対談と比べたら、準備率は急上昇。偶然に出会ってしまう場合は別として、取材など事前にお会いするのがわかっているときは、どれだけ念入りに準備するかで「初めまして」から始まる対話の行く末は決する。

脳内でイメージトレーニングを繰り返す。実際に会う前から、もう何度も勝手ながら「会っている」くらいにしてしまうのが、準備の時間だ。

では、この「出会いの第1打席」に向けてどんな準備をするべきだろう。

先日、ある雑誌の企画で漫画家のヤマザキマリさんと対談することになった。

漫画を読む人なら、この名は誰もが知っているだろう。まず何といっても『テルマエ・ロマエ』(エンターブレイン)を思い浮かべる人が多いと思う。

ヤマザキさんは、17歳でイタリア・フィレンツェの国立美術学院に留学し、11年間、その地で美術史と油絵を学んだ。現在もイタリアを拠点とし、日本とも行き来しながら漫画家、画家、随筆家として活動されている。美術の専門家であるのはもちろん、古代ローマ史などイタリアの歴史にも造詣が深い。

さて、どんな話を彼女としようか。

大ヒット作で映画化もされた漫画『テルマエ・ロマエ』は、あまりにも有名すぎる。もう飽きるほど聞かれていることは想像に難くない。開口一番、『テルマエ・ロマエ』を持ち出そうものなら、「またか……」と、うんざりされてしまうかもしれない。せっかくの貴重な機会に、それだけは避けたい。

ヤマザキさんは多才な方だ。そうであるがゆえに、あれもこれもといろんな場所を掘って準備をしようとすると、バラバラになってしまう。

もちろん、全体に満遍なく準備をするべきときもある。ケース・バイ・ケースだが、今回はバラけるよりも、失礼だけれど一点突破・全面展開。僕は、あえてヤマザキさんの別の作品、『プリニウス』（新潮社）に絞って準備することに決めた。

そうと決めたら、もう、ひたすらこの作品を読んで勉強するのみ——と思ったのだが、これが大変。

同じく漫画家のとり・みきさんとの合作である『プリニウス』は、古代ローマ史をベースにした作品だ。かの『博物誌』を著した偉大な博物学者にしてローマ艦隊司令官でもあったプリニウスを主人公としており、骨太な自然科学・史学にファンタジーが合わさった大変興味深い歴史伝奇ロマンである。

とてもおもしろい漫画なのだ。いきなり今から2000年前にタイムスリップさせてくれる。もしこれが、初対面へ向けた準備でなければ……そうしたら、どんなに純粋に、観光気分で古代ローマを楽しめることか。

何度も「準備やめたら？　楽しんじゃえば？」と悪魔が囁く。当日は会ったときの雰囲気で話せばいいや。となるが、だとすると、「初めまして。『プリニウス』読みました、おもしろかった!!すごい」で終わっちゃう。これがダメなのだ。そうすると、相手に楽しみに来たファン心理だけが伝わって終わる。

だから、勉強モードで読む。本当は楽しみたいのに楽しまないで、何かのタネを探すんだと読む。自分を強烈なマゾ嗜好なんだと思わなければ、準備は進まないのだ。

そうして真剣に『プリニウス』を読んでいるうちに、ふと気になった。たびたび「うわぁ、わかんない」という難解な言葉が出てくるのだ。たとえば、僕が注目したのは、このセリフ。

「ウェルギリウスのアエネイスでは、アエネアスの船がアイオロスによって沈められている」

難解すぎる。まるで早口言葉。しかも、まったく馴染みのないカタカナの固有名詞がズラズラと出てくるのに、あまり注釈がない。「ウェルギリウス」も「アエネイス」も「アエネアス」も「アイオロス」も、全部わからない（ちなみにこれは、全部ググってみた。それも準備だ）。

これはひょっとして、あえて難解にすることで読者をイラつかせ、その反動の勢いで作品に没入させようとしている演出なのか？

この予想が、ひょっとしたら、対談をおもしろいものにする突破口になるかもしれない。本当にそうだったら盛り上がるし、仮に「それは違う」と言われたとしても、それはそれでおもしろい。

僕は、作品中のきわめて難解なセリフをメモした。

長年、スポーツ実況をやってきた身でも舌を噛みそうな、早口言葉みたいなカタカナの羅列を、対談当日までに暗記するか。それとも、その難解さを際立たせるために、あえてヤマザキさんの目の前でたどたどしくメモを読んでみせるか——。

先に結果を言うと、対談の本番で、このメモを出すタイミングは訪れなかった。

理由は2つある。1つは、このメモを持ち出すまでもないほど、対談が盛り上がったから。ありがたいことにヤマザキさんは、僕と同じくらい、よく喋る人だった。そうなると会話のキャッチボールの中で、僕もどんどん聞きたいことが溢れてくるから、あっという間に時間が過ぎた。

そして2つ目は、もう1つ僕のほうで事前に準備したものがあり、それがヤマザキさんにクリーンヒットしたからメモは引っこめることにした。

クリーンヒットとは、いってみれば「**ヤマザキマリの仕事のパッチワーク**」である。

先にも述べたとおり、ヤマザキさんの活躍は幅広い。仕事は主に「絵を描くこと」だが、それがまた多彩なのだ。漫画から、自分が暮らしていたシカゴのポスター、ジャズのポスター、カーニバルのポスター、さらには山下達郎さんのCDジャケット、立川志の輔さんの写実的な肖像画、ヤマザキマリさん自身のマンガチックなイラスト、はたまた精緻な青龍のイラストなどなど……とても同じ人物が描いているとは思えない。美術や絵について明るくない僕からしたら「なんだ、この人?!」だ。ジャンルもテイストもバラバラ。あまりにもめちゃくちゃな百貨店ぶりが、なんたる魅力。理解しようとしても、もうギブアップだと思った。

そこで、ネット上で見つけたヤマザキさんのいろんなタイプの作品をプリントアウトして、ハサミで切り抜き、1枚の大判画用紙にパッチワークのように貼り付けた。貼り付ける順を何度も調整して、とにかく脈絡がないように並べた。ノリで貼り付けたから、ちょっとヨレたりもしている。小学校低学年の児童の宿題みたい。

そして対談もいよいよ終盤というところで、それを取り出して問うてみたのだ。

「何人いるんですか、『ヤマザキマリ』さんは。ひどい素養かもしれないけど、オレの中でまとまらないんですよ、あなたは」

するとヤマザキさんが「**古舘さん、これなんですよ！**」と、いっそうキラリと目を輝かせておっしゃったのだ。「これなんですよ。私は画家じゃないですから。単なる絵描きですから、作風に一貫性も何もなくて、バラバラなのが私なんです。いや、こんなバラバラをまとめてもらえたのは初めて！」と。

もしかしたら、せっせと切り貼りをした僕に合わせてくれたのかもしれないが、ともかく対談は大盛り上がりのうちに終了した。デザインセンスの欠片もない素人のパッチワークは、他では読めない対談にするための準備としては十分に機能したわけだ。

さて、ここで話は冒頭の問いに戻る。

「出会いの第1打席」である初対面、どう準備するか。

あなたは、ただ空白を埋めるために「好きな音楽は?」「日曜日は何をされるんですか?」なんて質問をしてしまっていないだろうか? そんなとりあえず聞きました、という質問は「うるさい」。しょせん質問のための質問だ。

もしそれが本当に聞きたいことだったなら、かまわない。でも、間を埋めているだけならば、それはやめよう。第1打席、しっかり準備をしたほうがいい。

誰もが思いつくような話題を避け、自分独自の切り口を探すこと。

そのためには、まず相手について、できるだけ調べ尽くす。そして「これ」という一点突破のポイントを見つけて、さらに深掘りする。出番がなかった『プリニウス』のセリフのメモも、ヤマザキさんの仕事のパッチワークも、僕がやったのは、そういうことだ。

●トーク番組で培った一歩踏み込む技術

1987年から2005年までの18年間、僕は「おしゃれ30・30」、その後続番組「おしゃれカンケイ」というテレビのトーク番組でMCを務めた。どちらも、毎回、異なるゲストを迎えて仕事やプライベートについてトークしていただくという番組だ。時代を代表する歌手、俳優、作家……本当に多くの方々に接した。

また、この2番組と重なる1985〜1990年は、「夜のヒットスタジオDELUXE」（のちに「夜のヒットスタジオSUPER」に改変）、通称「夜ヒット」の司会進行も務めた。こちらは歌番組だから、出演者はアイドルから大御所まで人気歌手&バンドばかりだ。

目の前にいる相手と話すトーク番組や歌番組は、当然ながら、顔の見えない視聴者に向かって状況を刻一刻伝えるスポーツ実況とはまったく違う。

近年、僕は自身のYouTubeチャンネルなどでさまざまな方と対談している。そこで、グッと一歩踏み込んで興味深い話を引き出すことが時折できているとしたら、その技術は間違いなく、ありとあらゆるゲストと渡り合った「おしゃれ30・30」「おしゃれカンケイ」「夜ヒット」で培われたものだ。

まさにテレビ最盛期の頃のこと。いずれも出演者の顔ぶれは毎回すごかった。僕からすれば肉眼で見上げるスフィンクスみたいなビッグスターばかりだが、いざ相対するとなれば、とにかく徹底した準備から入る。

しかし基礎的な準備に沿って、いかにも優等生なトークをしてもおもしろくない。せっかくの機会だ。ひょっとしたら相手の機嫌を損ねるかもしれないギリギリのところを、あえて攻めてみたい。せめて「おまえ、おもしろいな」くらいのことは言わせたい。そんな心構えだった。いやらしく欲深い僕は、ケガのリスクをおかしてでも相手に一歩深く踏み込むつもりで臨んでいたのだ。

ある晩の「夜ヒット」で、矢沢永吉さんが出演した。その回は、ニューアルバムのレコーディングをしているロサンゼルスのスタジオから生中継。

司会の僕としては、矢沢さんに、いい気分で生歌を披露してもらうことが第一の仕事だ。

しかし、順当に司会進行するだけではつまらない。あの矢沢永吉に、何か斜めからツッコミを入れて反応してもらいたい。それくらいのことをしなくては、自分の価値がない。当時の僕は、そんなふうに思い込み過ぎているアホだった。

そこで、こんな質問をぶつけてみたのだ。

「ところで矢沢さん、なんでビッグなアーティストって、ニューヨーク、ロンドン、ロスなんかでレコーディングするんですか？　下北沢じゃダメなんですか？　北千住じゃダメなんですか？

レコーディングスタジオ、探せばあると思いますけど？」

一言一句、覚えているわけではないが、とにかく、こんな質問をぶっ込んでみた。事前に準備していた質問だ。僕にとっては勝負どころ。いけしゃあしゃあと言ってのけたように見せかけて、胸のうちはドキドキだった。

「おまえ、なんだ？」なんて矢沢さんに凄まれると覚悟していたし、テレビ局には矢沢ファンからの苦情が殺到して電話局がパンクすることも予想していた。いっそ「パンクさせてやれ」くらいの考えもあった。今でいう「炎上商法」である。

ところが、さすが矢沢さんは懐が深かった。

僕の質問に、まずカーッと笑って、「おたく、なかなか言うねえ。なんでそんなことわざわざ聞くわけ？」と言った。それに答えて「そりゃ、矢沢さんがビッグだからですよ」と僕。さらに「俺、そんなビッグかなあ。ま、そんなに気負わないで」といった具合に、矢沢さんが返してくださったのだ。

たぶん矢沢さんは、僕の失礼な物言いに、心のどこかではカチンと来ていたと思う。それを大人の寛容性をもって微塵も見せず、「何か目新しいことをしたい」という欲にまみれたガキンチョの僕を転がしてくれたのだろう。

そう思うと感服しきり、ますます好きになってしまった。

だからといって、その後、個人的なお付き合いに発展したとかではない。だが僕にとっては、矢沢さんや、矢沢さんのスタッフのみなさんには失礼なことをしたという申し訳ない気持ちはありつつも、決して忘れ得ない宝物のような体験だった。

ありきたりな準備では、ありきたりな話しかできない。そこから始まるのも、しょせんは、ありきたりな人間関係だろう。リスクをおかすのは怖いものだが、「この人は」と思った相手には、ケガをも覚悟で、思い切って踏み込んだ話をぶつけてみるのも手だ。

もちろん一瞬にして嫌われる可能性はある。しかし、おもしろがられたり、興味深く思ってもらえたりして一気に打ち解ける可能性もまた、同じくらいある。リスクをおかしてまで懐に飛び込んでくる人に、心を開く人も多いはずだ。

●「本気で聞きたいこと」でぶつかってみる

リスクをおかしてでも相手に一歩踏み込む。そう言われても、怖いものは怖い。「この人は」と思えばこそ、なかなかその一歩を踏み込む勇気を持てなくても無理はない。

ここで僕からひとつ、付け加えておかなくてはいけないのは、一歩踏み込むといっても故意に相手を怒らせようとするのではなく、「本気で聞きたいこと」をぶつけてみてはどうか、という提案だ。

その点では、『週刊新潮』で元NHK政治部の岩田明子さんとの対談コラムに呼んでいただいたときのことが参考になる。

岩田さんは、NHK時代、本人はそれだけじゃないと怒るかも？　だが、ずっと安倍晋三元総理の番記者をしており、フリーになってからは政治評論家、コメンテーターとして活躍している。一方の僕はというと、もともと安倍元総理には批判的だったので、岩田さんとは立場を異にしていた。

とはいえ、何事にもプラス面とマイナス面がある。安倍元総理については、僕もちょっと批判的になりすぎていたという反省があった。それに、岩田さんという人物のスタンスに興味を引かれていた。

そこでまず、岩田さんはどうして自民党政権寄りだったのかを聞いてみたいと考えた。番記者の中でもっとも安倍元総理に食い込み、ベッタリだったという世評の真偽を尋ねること。

そしてもう1つ。自民党の派閥のパーティー券収入不記載問題については、外せない。

この問題が明るみになった頃に岩田さんが明かしたところによると、2022年の時点で、安倍元総理は不記載をやめようと指示を出して一旦そうなった。なのに、安倍元総理が亡くなったあとにまた不記載・裏金スキームが復活したという。なぜ、誰が元に戻した？　これは政治まわりでは岩田さんが語ったすごいスクープなのだ。

しかしだ。安倍元総理が不記載をやめようと言っていたことを知っていたのなら、今になってからではなく、2022年当時に明らかにして追及すべきではなかったのか。ジャーナリストならば。やはり、この点を岩田さんに突っ込まずにはいられない。率直にぶつけてみることにした。

そんなことをいきなり聞くなんて、嫌な感じがするだろう。「ツッコミに来たのか」と不快に思われるかもしれない。それでも、一所懸命に調べ、準備し、あえてそれをやったのだ。

そんな僕の投げかけに、岩田さんは「それは、違うんですよ」と、至極真摯に答えてくれた。

さすがだ。具体的なやり取りが気になったら、ぜひ『週刊新潮』2024年3月21日号をご覧いただきたい。

ともかく僕は、彼女の話には論が通っており、それ以上ネチネチやりたくない。ここで「そんなことはないでしょ」と僕が言ってはいけない。相手を怒らせるための質問ではない。一歩踏み込んで、本当に聞きたいことを聞くための質問なのだ。だから、「そうなんですね。じゃあ、もう突っ込むのはやめます」と、いとも簡単に引いた。時に消化不良を覚悟で、犬だって鳴くのをやめることがあるのだ。

何より、政治家と違って、僕が本気で聞きたかったことに逃げずに、かわさずに、真っ直ぐに答えてくれた岩田さんの度量勝ちだ。「負けて勝つ」ための準備をしただけなのだ。

その後は、いろんな脇道にそれつつ、話は仏教などにも発展した。そこはコラム欄の紙幅の都合で入っていない。岩田さんとは政治的立場や考え方は多少異なるものの、互いに本音で語ることで、理解し合える点や共通点も見出せた充実の対談になったと思っている。

ちなみに、僕はこの対談に向けて、先に挙げた2点以外にも準備していた。でも、かなりの準備を捨てることになったのも事実。だが、それでいい。それがいいのである。

一歩深く踏み込み、本気で聞きたいことをちょっと聞けたら、それがアクセントになって波が起き、あとは楽しく話すという波乗りに入れる。しつこい追求のための準備を全部捨ててしまうのだ。

●「ちらし寿司」式——準備の整理を崩す

ネット検索をする、本や雑誌を読む、あるいは関連動画を視聴する。集めた知識・情報がとっちらかったままでは使いものにならないから、どこかの段階で、いったん整理する。

ここまでが「準備の定石」だが、こと人間関係においては、もう1つ備えておけることがある。いったん整理したものを、またかき混ぜるという心構えをしておくことだ。

僕はこれを、**「ちらし寿司」式**と呼んでいる。呼んでいる、と書いたが、今思いついたところだ。でも、思いついたイメージはしっかりあるので、引き続きお寿司に喩えて話していこう。

回転しない高級なお寿司屋さんには、「大将のお任せ」というところも多い。シンプルなお任せの場合、刺身が出て、握りは8～10貫、最後に巻物と甘い卵焼き、そして吸物や味噌汁で締めくくられる。このように一つひとつ順序立てて出てくる大将のお任せ握りのごとく、きれいに整理されているのが定番の準備。

一方、ちらし寿司は、酢飯の上に色とりどりのネタがちりばめられていて、どこから食べても自由だ。

そこで、プレゼンなり対談なりで人前に立って伝えるときも、ちらし寿司と同じように、準備してきたことを順番どおりにではなく、ランダムに出すという状況も想定しておくのである。

「お任せ握り」式で行くか、**「ちらし寿司」式**で行くかは、本番の場で決める。

せっかく、きれいに構成した「お任せ握り」を崩すなんて、忍びないと思うかもしれない。しかし対話とは相手あってのもの。一方的に、整理され順序立てられた「お任せ握り」にこだわってしまうと、対話がギクシャクしかねない。トークとは対面した者同士がおひつの中の酢飯を攪拌しあうことをいう。

たとえば、仕事相手から話を引き出すために、質問リストを準備したとする。

上から順に聞いていくのは、まさしく「お任せ握り」式。だが、相手の受け答えや話の流れによっては、リストの最後のほうにある質問を先にしたほうがいい場合もある。そうなったら、予め整理してあった準備をかき混ぜてしまったほうがいい。どこから食べてもいい「ちらし寿司」式に切り替えたほうが、相手がノッてくる。

きちんと準備をしていれば、手元にネタがそろっていることは変わらない。

問題は、それを「お任せ握り」式に順序立てて出していくか、「ちらし寿司」式に、ネタの取捨選択も含めてランダムに出していくか、ということだけ。どちらの場合もありうると思っておけば、対話の本番で臨機応変に相手と渡り合える。

「古舘と客人と」という月1回の対談ライブで、坂上忍さんをゲストに迎えたときのことだ。

忍ちゃんとは、かつてテレビ東京の番組で一緒にMCを務めて以来の仲で、個人的にも親しくしている。その彼をゲストに迎えることになり、僕には、ぜひ聞きたいことがあった。

2024年1月1日、北陸で大きな地震があった。翌2日、被災地への物資運搬のために発動した海上保安庁の機体と日本航空の大型旅客機が、羽田空港の滑走路で接触、両機とも炎上した。日航機の乗員・乗客は全員無事だったが、海保機では6人中5人の乗組員の方が命を落とすという、何ともやりきれない事故だった。

日航機の乗員・乗客が全員助かったのは日頃の訓練の賜物と称賛されたが、同時に、同機に乗っていたペットが2匹、焼死してしまった。ペットは貨物室に預けられていたため、救出できなかったのだ。

このニュースには、特に全国の動物愛護家が胸を痛め、「ペットも客室に同伴できるようにしてほしい」という声が上がった。それに対し「いや、動物の毛にアレルギーを起こす人もいるからダメだ」「ペットを客室に入れるなんて、他の乗客への配慮に欠ける飼い主のエゴでしかない」といった反論が出されるなど、しばし論争が続いた。そりゃそうだ。ペット愛の濃淡で答えは分かれる。

忍ちゃんは人間のエゴで捨てられた、犬・猫のための施設を運営し、そのライフワークに命懸けの人だ。そこで僕は、くだんの接触事故でペットが死んでしまったこと、そこで論争が起こったことをどう見ているのか、ぜひとも聞いてみたいと思ったのだ。

彼とは知らない仲ではないが、もちろん、本番に向けた準備は怠らない。

特に、燃え盛る日航機に取り残されて犠牲となってしまったペットについては、すでに彼が何かしらの発言をしているのではないかと調べていたら、見つけた。それが、すごく冷静で、「今の状況が悪、こう改善されるべき」という二元論でもなく、公平で中立的な、いい意見だと思った。

これで、僕の頭の中では、忍ちゃんゲスト回の構成が決まった。ペットの焼死は暗い話題には違いないから、まず近況のことなど軽めの話題から入り、後半で少し居住まいを正しつつ、この彼の本域の話題を振ろう。

当日のステージ。「**坂上忍さんです、どうぞ！**」と呼び込み、登場した彼は……白いフワフワのセーター姿。まるで、グレートピレニーズそのもの。白い長毛の大型犬にしか見えない。

ペットの話題が念頭にあったから、余計にそう見えた。とにかく、僕にはその「**大型犬みたいな姿の忍ちゃん**」を無視して、別の話題から入るのは無理だった。そこで最初に考えていた構成をやむなく捨てて、本来は後半に話したかったペットの話題を最初に振ることにしたのだ。

本番でいきなり構成をひっくり返す。これは、勇気がいる。誰しも、もともと考えていた構成に執着があるものだ。自分の努力した過去にこだわる。できたらそのとおりに「お任せ握り」式で進めたいという思い。でもそれこそが自我（エゴ）なのだ。

すべてはその場にいる「本番の神様」に沿うのだ。現場の瞬間に勝るものなし。そんな時は、思い切って準備してきたものをバラし、「ちらし寿司」式に切り替えよう。

●「ほとんど捨てる」ためにメモを見る

仕事で誰かと会うときには、事前に準備したメモを持参することも多いだろう。僕自身、トーク番組や対談企画には、相手に関する情報や質問などを記したメモを持ち込むことが多い。

だが実際には、そのメモの半分も使わない。

そもそも、メモに記したことをすべて話題に出そうと思っていないのだ。採用するのはほんの一部だから、むしろ、「ほとんど捨てる」ためにメモを持ち込んでいるといっていい。いいカードは取りそろえておいて、あとは実際に相手と対面してからの判断で、特に有効と思えるカードだけ出せたら十分という考えである。

入念に準備をすればするほど、そのすべてが惜しくなってしまうもの。だから、ついつい「あれも、これも、それも準備してきました」と相手に見せたくなるが、そこをぐっと抑える胆力や潔さが、対話の質を上げることにつながる。すべては自分の中のエゴとの闘いだ。

ちょっと想像してみるとわかるだろう。もし、あなたがプレゼンやインタビューを受ける側だったとして、「あれも、これも、それも準備してきました」と見せられたら、どう感じるだろうか。もちろん、「こんなに準備してきてくれて、うれしい」とも思う可能性もある。だが、度を越した「準備アピール」は煩わしい。挙げ句に逃げ出したくもなりかねない。

誰も、せっかく対面している相手を、そんな心境に追い込みたくはないだろう。

相手に伝えるための時間が、準備の披露会・自慢大会になってはいけないのだ。

メモは持参しても、こだわらないこと。「これも、あれも、それも話題に出さなくちゃ」ではなく、「ここだけ言えたら、いいか」というつもりでいたほうがいい。

反対に、メモを用意するからこそ、全体が視覚化されて「1〜3まであるけれど、2までしか行けなさそうだ。3は切り捨てよう」と見切りをつけることもできる。メモを持参する場合は、この「捨てる判断をするため」に見るつもりでいよう。

そもそも僕たちはいったい、何のために準備するのか。

人間関係は相手あってこそのもの。だから、その人との対話をおもしろく、心地よく、意義深いものにすることに向かって、僕らは準備をする。要するに、すべては相手のため、相手の立場に立つためなのだ。

だから、メモに一瞥をくれつつ「これも、これも、いらないな」と思ったら、即バイバイである。僕の経験値としては、やはりほとんどは捨てることになる。

くだんの対談ライブ。ペットを客席に持ち込むペット愛派、今のままでいい人間中心主義派の議論について、僕は忍ちゃんの意見を求めた。彼が少し間を置いて出した言葉は、**「うーん、難しいとこだけど、僕の意見は本当にペットを思うなら、一緒に旅に行かないという決断をするなあ」**だった。

●おもしろさのハンダゴテ——苦手な人と向き合うための準備

プライベートなら嫌いな人とは付き合わなければいいが、仕事では、そうはいかない。どうしても好きになれない人や苦手な人と、関係を保たなくてはいけない場合も多い。

それは僕も同じだ。時にはあまり好きではない人と、カメラの前で話さなくてはいけないこともある。そんなときは、どうするか。

僕の取り組み方は、こうだ。

まず、とにかく「(ぜんぜん好きじゃないけど)すごい人なんだよね」と思い込むことから始める。そうして、その人について調べる。何かすごいところがあるという目で見れば、好きになれなくても、興味を持つことはできる。そして、興味を持てれば聞きたいことも自ずと出てきて、聞きたいことが出てくれば対話も立派に成立するというわけだ。

したがって、あまり好きではない人と相対さなくてはいけないときほど、いっそう準備が重要になる。

その人に関して、できる限り多くの情報を集めて読み込み、自分の内側にあるものとの接合点を探す。なさそうに見えても、バチバチと火花を上げて金属を接合する溶接工になったつもりで、その人の何かと自分の何かをくっつける。

いつでも、「**おもしろさのハンダゴテ**」だ。

そうしているうちに、あたかも、その人のことが好きになったかのように思えてくる。もちろんこれは錯覚だ。その人を好きになったのではなく、その人にまつわる情報に興味を持ったに過ぎない。だが、それでも対話を成立させるには十分なのだ。

相手がカメラの前で対話するような著名人なら、ウィキペディアをはじめ、ネット上にいくらでも情報がある。ネット上でその人をイメージできそうなその人の情報の貝殻を拾い集めるのだ。ネットに情報ゼロなら、その人を知っている人に、本人にバレるのを承知で周辺情報を聞き込む。どんなに小さくても接合点が見つかれば、何とかなる。

仕事をするうえでは、必ずしも相手を好きになる必要はない。

僕が相手にまつわる情報に興味を抱いて（そのように自分を仕向けて）対話を成立させてきたように、何かしら相手にまつわる情報に興味を持てるところが見つかれば、少なくとも仕事の関係性なら十分良好に保つことができるはずだ。

第7章　準備で夢は叶わない

――しかし人生を創造することはできる

●思い続ける――「心構え」という準備

今までいろんな仕事をしてきたが、僕の準備は、基本的に「仕事が決まってから」始まる。やりたい仕事を獲得するための具体的な準備は、したことがない。その点では、みなさんの役には立てないだろう。

しかし、ひとつだけ、「心構え」という準備はしてきた。

身を焦がすほどの憧れや妬み、何かを強く求める執着心など、「ずっと思い続ける」というのも、広義の「準備」といえると思うのだ。

思い返せば、僕が最初に「実況の言葉」を意識したのは小学生。まだ「無口な少年」だった頃だ。すっかりプロレスファンになっていた僕は、200人ものレスラーの名前を暗記していた。特に、屈強なレスラー同士の激しいぶつかり合い、そこで生まれる数々のドラマの虜になりながら、実況アナが彼らを表現する「言葉」に心惹かれていたのだ。

当時のレスラーのキャッチフレーズを挙げだしたらきりがないが、たとえば「**テキサスの摩天楼**」と称されたスカイ・ハイ・リーというレスラーがいた。超巨体の人気の悪役だ。

「テキサス」と「摩天楼」——幼心に、この言葉の組み合わせが妙に引っ掛かった。

調べてみると、60年も前の「テキサス」はアメリカ南部カウボーイゆかりの地。「摩天楼」はニューヨーク・マンハッタンの高層ビル群のことだと知る。そして「テキサスに摩天楼なんてある？　マンハッタンみたいな高層ビルの群れはないはず」なんて考える。

スカイ・ハイ・リーはカナダ出身だが、よくカウボーイハットを被っていた。カウボーイといえばテキサス。身長は約２１０センチ。こうして「テキサスの摩天楼」とは、この巨大なレスラーを印象的に言い表す比喩表現なのだと腑に落ちる。無関係なものを結び合わせたキャッチフレーズの効果に子供心に魅せられた。

もちろん当時はここまで言語化できていなかったと思うが、とにかくプロレス実況で繰り出される「言葉」が気になって仕方なかったのだ。


僕は「願えば叶う」と思えるほど楽観的ではない。「引き寄せの法則」みたいなものも信じていない。でも何かをずっと思い続けること、自分の中で根気よく「おもしろいなあ」「すごいなあ」「いいなあ」と思い続けながら日々を懸命に生きることが、いつの間にか望んでいた場所へと自分を運んでいくというのは起こりうると思うのだ。

それが証拠に、と偉そうに言えることでもないのだが、実際、僕はテレビ朝日に入局し、プロレスの実況アナになった。

トントン拍子で進んだわけではない。すでに述べたように、入局早々、自分の勉強不足、不器用さ、おもしろくなさに打ちひしがれたし、「実況に向かない」なんて言われて傷ついた。連日の実況練習で声を枯らし、喉を腫らした。実況練習の名目で野球、競馬、バレーボール……プロ、アマを問わず、いろんなスポーツの試合に駆り出された。それも今では、「好きでも向いていないということもあるから」「興味のない分野で冷静に取り組むという経験が必要だから」といった理由があったのだと納得している。

とにかく、すんなりと希望が通るわけではないだろうと思っていた。それでも、ダメ元で「**プロレス実況をやりたい**」と手を挙げた。

すると、入局の年の後半には「ワールドプロレスリング」の実況アナになっていたのだ。当時からすると、かなり早く希望が通ったケースだと思う。

それが子供の頃からの「思い続ける」という準備のおかげだったかはわからない。だが、いざ運良く希望どおりになったときに、ひたすら思い続けたことが役立ったとはいえる。

現に、いきなりプロレス実況を任されても、僕はまったくオロオロしなかった。ずーっと「プロレス実況をしたい」と思い続け、かなり知識も蓄えていた。いわば自分の中で基礎的な準備ができていたので、最初からどんどん喋ることができたのだ。新米の実況アナにしては、ちょっと異常なくらい喋っていたかもしれない。

独立後にさまざまな仕事に恵まれたのも、**「喋りたい、喋りたい」**という執念があったからだと思う。常に喋る心構えだけはできている、そんな僕を見込んでくれたのか、あるいは見るに見かねてなのか、絶えず仕事をあてがってくれる人たちがいた。

その後、僕はスポーツ実況の枠から飛び出して、トーク番組や歌番組の司会も務めるようになる。かねてより「華やかな司会もやってみたい」という憧れがあった。同時に古巣である実況中継も続けたいと思ったりと、まあ、欲張りなものだ。でも、そうして憧れ、思い続けることが、ある種の準備になったと思っている。

こうして振り返ってみると、つくづくと、僕は**「喋り手でありたい」**という一念だけでやってきたんだなと思う。

常にあったのは「自分の喋りでウケたい」「おもしろい司会ですね、と言われたい」という欲だけだ。一途といえば聞こえがいいが、この一念と欲の強さは、粘着質、偏執的といったほうがしっくりくる。

思い続けていると、少しずつエネルギーが溜まっていって、いくらかのタイムラグの後にドカーンと爆発し、思わぬ形で扉が開かれる。人生が転がりだす。自分では「準備」と捉えていなくても、その思いは、紛れもなく心構えという準備になるのだと思う。

憧れ、妬み、執着、さらには焦り、恐怖心。ネガティブな感情に分類されがちだが、「心構え」という広義の準備と捉えれば、そう悪いものでもない。

消そうと思ってもなかなか消せないのがネガティブ感情ならば、何か強く自分をドライブするものと捉え直す。そうすれば、一見ネガティブな感情を抱えながらも、ちゃんと前を向いて歩いていける。

●「報道ステーション」の12年

おそらく唯一、心構えという準備がなかったのは「報道ステーション」だ。

あの久米宏さんの「ニュースステーション」の後続番組。

自分なんて報道には向いていないと思っていたから、事務所の社長から話があったときは「断ってほしい」と言った。報道の経験がないばかりか、政治・経済の専門家でもない。

しかし、その後、自分の中でふつふつと湧き上がるものがあった。

「自分に向かないことはやらない、それでいいのか？『喋り』一本でやってきた俺の人生、ここでチャレンジしなかったら後悔するのではないか？ずっとテレビの世界で育ててもらってきたくせに、ここで未着手のジャンルを残して逃げるのか？」と。

そこでころっと翻意して引き受けることにした。

「報道ステーション」は毎晩、21時54分から。つまり視聴者が一日の最後あたりに見る、いわゆる「アンカー番組」だった。事実関係の報道は昼や夕方のニュースで済んでいるのもあるし、さらに深掘りしなくてはいけない。２００４年から２０１６年までの12年間、来る日も来る日も膨大な準備が必要だった。僕のキャリア史上、もっとも苦しくつらい準備の日々が始まった。準備、本番の繰り返し。

報道は、スポーツ実況の手法も、トーク番組や歌番組の手法も通用しない恐ろしい世界だった。

「報道ステーション」当時の毎日のルーティンは、次のようなものだった。

朝、起床したら全国紙5紙にざっと目を通す。僕は根っからの非効率人間で、新聞記事ひとつを読むにも人一倍、時間がかかるタイプだから、まず、これが大変だった。

昼間は番組プロデューサーや事務所のブレーンと連絡を取り合いつつ、昼のニュースで何がどのように報じられているか確認して、夜の番組でどうそれらを更新していくかが勝負どころ。

あわててシャワーを浴びて、16時くらいにテレ朝に入り、番組ディレクターやスタッフ、政治部や社会部の記者などいろんな人たちが入り混じって、その日のニュースのブリーフを受けたり、今夜は何をどう扱うかをもみ合う。意見はまちまちだから、侃々諤々《かんかんがくがく》、喧々囂々《けんけんごうごう》のブレストだ。

打ち合わせを終えたら、ようやく楽屋に入るが、そこでも時間が許す限り記者とやりあう。さらに、連日、テレビ局には番組やキャスターの僕に対する抗議電話が何百本と寄せられている。

当時は電話の抗議がメイン。電話番の担当者たちがまとめたそれに、毎日すべて、放送前に目を通した。12年間、毎日毎日、150から300本の抗議を読み続けた。

抗議電話の内容をすべて読むのは、自分から始めたことではない。

テレビ朝日のお偉方と事務所社長から、同じことを言われたのだ。「逃げないでくれ」と。

きっと、僕が自分の関心あることは入念に準備するのに、「うわっ」と思うようなことからは逃げてしまうタイプだと、2人とも気づいていたのだと思う。だから「視聴者からの抗議は、お願いだから読んでくれ」と言ったのだろう。そうして、300本の電話があったら、その後ろに何万もの抗議の声があると思ってくれと。反対に、10本の賞賛の電話をいただいていたならば、その後ろに何千人も「いいな」と思ってくれた人がいると思ってくれと。それが、マスの仕事なのだと。

切実にそう言われて、僕自身も必要なことだと感じた。だから毎日読んだ。しかしそれは、しんどいものだった。

スポーツ番組もトーク番組も歌番組も娯楽だが、報道番組は違う。ニュースキャスターの言葉は、実況アナや番組MCの言葉よりも遊びなしのシリアスな感性で捉えられる。

実際、僕の発言で傷ついた人がいるという事実を、毎日のように突きつけられた。ずっと畑違いのところでやってきた僕は、毎日、視聴者の抗議に目を通すことで、ニュースキャスターとしての自分の言葉の影響力を、自身に思い知らせる必要があった。そして傷つく必要があった。なぜなら、小さく傷をつけ続けることを「磨く」というのだから。自分を磨いてなきゃすぐ交替させられるだけなのだ。

それに、おそらく僕は、ニュースキャスターの割には自分の見方・考え方を喋りすぎていた。視聴者の抗議には、その点を指摘するものも多かったから、一つひとつの抗議を読むのは自分の喋りを抑えめに調整するためにも必要なことだと思って、取り組んだ。

「喋りのブレーキパッド」を常に点検しなければならなかった。

「報道ステーション」は平日放送の番組だったから土日は休みだ。しかし「放送がない」というだけで、ちっとも心身の休息なんか得られなかった。週末になると、決まって右翼の街宣車が「報道ステーション、古舘伊知郎を許さない！」なんて喚きながら僕の自宅周辺を巡ってくることもあった。

おとなしくニュースを読んでいれば、おそらく何百もの抗議電話も街宣車もなかったに違いない。でも、報道という未知の世界に飛び込んでもなお、「何か人と違うことをやって自分ならではの価値を打ち出したい、それがなかったらポイされるだけ」と強く思っていた僕は、自身の意見を番組内で少なめながら話してきた。これはもう生来のクセ、病気みたいなもので、おそらく永遠に消えないのだろう。

ところで、いくら自分に向けられたものではないとはいえ、人の批判や罵詈雑言を聞くのは、ものすごくストレスフルだと思う。あの頃は自分のことに精一杯で、そこまで気が回っていなかった。僕のせいで、当時、過重なストレスを抱える羽目になってしまったテレビ朝日の電話番の方々には、この場を借りてお礼とお詫びを申し上げたい。

こんな具合に、それまで以上に膨大な準備をする毎日だった。

いくら準備しても足りない気がして仕方がない。ストレスもすごかったから、放送後、よくスタッフと飲みに行ったものだが、その後はテレビ局近くに借りていたマンションに行き、マネージャーを待たせておいて、数日分の新聞やら分厚い資料やらを読みはじめる。そうこうしているうちに空が白みはじめ、午前5時くらいにようやく自宅に戻ったりもした。

F1のときと同じで、非難囂々《ごうごう》の1年が過ぎ、2年目に入ったあたりから人気が出てきて視聴率も上がってきた。

あの12年間、休みなく膨大な準備と格闘したことは、紛れもなくその後の仕事、そして現在につながっている。

今では自身のYouTubeチャンネルで時事問題を取り上げることも多いのだが、どちらか片方の見方に偏ることなく、「本当だろうか」「こうかもしれない」と疑問を呈する、問いを発するというスタンスでやっている。表層をさらうだけの内容ではなく、できる限り裏側をえぐることをも意識している。

そういうバランス感覚や深掘り精神が身についているのも、あの頃、休みなく膨大な準備をする中でさまざまな知見に触れ、ギリギリの思いをしながら、数多の時事問題を自分がメインを張る番組で言いたいことにブレーキをかけて、自己コントロールをかろうじてやっていたからだ。

いくら専門知識を使って予測を立てても、当たるも八卦、当たらぬも八卦。何事も一概にはいえないというのが人の世の真理。世の中には表も裏もあるということも、皮膚感覚でわかるようになった。もっというと世の中はカラクリだらけだ、ということも知った。

あの日々は、確実に今に役立っている。本気の準備は、自分の人生をどんどん前へと転がしてくれるものなのだ。

●自分という物語を創造する道のり

かのココ・シャネルは、こう言ったとされる。

「私の人生は楽しくなかった。だから私は自分の人生を創造したの」

かの高杉晋作は辞世の句でこう言ったという。

「面白き　こともなき世を　おもしろく」

人生は楽しいことばかりではない。放っておいたら、ひとつも楽しいことなんてないかもしれない。

そんな中でも準備を重ねることで、自然といろいろな人や出来事に遭遇する。さまざまな課題や障害、目標と対峙する。こうしたいくつもの偶然の出会いが自分に火をつけるのだ。

準備の自然着火の熱でもって、人は、どこかへと向かっていける。人生を創造していける。それは決して楽しい道のりではないかもしれないが、そんな準備のプロセスが人生の香辛料となって、他に2つとしてない「自分」という物語を創っていく。

よく「夢を持て」「願えば必ず叶う」なんて言うが、僕はそうは思わない。遠い夢に向かって突き進んでいくのが人生なのではなく、足元を見つめながら「今このとき」を積み重ねていくことで徐々に形作られていくのが、人生なのではないか。


本書ではさんざん「準備」について述べてきているが、ここではっきり言っておく。

準備で夢は叶わない。

でも「今このとき」に、何かに向かって必死に準備をすることで、自分の人生を創造することはできると思うのだ。

では、準備は人生をどこに転がしていくのか。この苦しいプロセスによって、いかに自分の人生は形作られるのか。それは当然、人それぞれなのだが、少なくとも準備をしなければ何も始まらない、どこへも辿り着けないというのは誰にでも当てはまる。

●「向こうっ気」というエセの自信

畑違いのプロジェクトを任されるとき、配置転換があったとき、転職したとき、人間関係が変わったとき……新たなことに踏み込んでいくのは、怖いものだ。

そんなとき要となるのが**「向こうっ気」**の強さだ。

僕だって、ジャンルの違う仕事に取り組むとき、本当は怖かった。今だって、怖い。自信はまったくない。

「毎日これだけ観察してきたんだ。これだけ準備してきたんだ。だから、自信があると思って開き直らなきゃ」という、エセの自信を作り込んで、血気盛んに挑んで行った。それだけのことなのだ。見せかけの自信で自分を創造する、エセのココ・シャネルである。

反転して気が強くなるわけではない。あくまで「向こうっ気」。一陣の空っ風のような血気盛んさで歩む心持ちだ。自分なんてタカが知れているし、気も弱い。そんなことはよくわかっているが、何とかやっていける向こうっ気だけはあるかも、という感じである。

一陣の風だから、瞬発的な強さだ。ニセモノなのだから、持久力はないかもしれない。だけど、最初の一歩を飛び出す機動力にはなる。そうして飛び込んだ先でジクジクと悩みながら準備を続けていると、いつしか立派なぬか床として発酵してくるのだ。

素っ裸で気が弱いところを見せるのは恥ずかしいから、それなら向こうっ気というアウターを羽織りますか、となる。そうやって、ちょっとだけ装って自分を創造し、挑んでいくのだ。

僕は、「報道ステーション」のメインキャスターを引き受けたものの、報道の経験は皆無だった。

その時点で、まず自分の程度なんて知れている。

しかし、いざ未知の世界に挑むとなれば、恐縮していても前に進めない。いっそ自分を騙くらかしてでも、飛び込んでいくしかないのだ。

「報道」と構えると恐ろしいが、これは要するに「人間」を伝えるということだろう。ならば方法論こそ違っていても、根っこでは、今まで自分がやってきたことに通じるところがあるはずだ。報道のことはさっぱりわからない。でも「人間」のことなら、プロレスで、F1で、トーク番組で、あるいは歌番組で数多見てきた。

だったら報道で「人間」を伝えることもできるはず。恐るるに足りず――こう半ば自分を騙すようにして飛び込んだ。そして飛び込んだからにはと、いっそ開き直ってガンガンやった。空っ風のような向こうっ気で。

まず自分の程度を認めなければ、必死の準備ができない。「まったく足りていない」という自覚があってこそ、鬼の準備ができる。しかし程度を認めただけだと、「こんなオレにできるのか……?」という恐怖心がムクムクと大きくなる。だから、無理やりにでも「できる理由」を自分に信じ込ませ、血気盛んに歩みだす原動力としたのだ。

未知の世界では、どんな準備が必要なのかすら暗中模索だ。その世界が自分に向いているのかもわからない。そんな恐怖や焦燥感と隣り合わせでも、向こうっ気があれば乗り切れる。自分の程度を認めたうえで、いっそ開き直って飛び込んでみたら、人生は、さらに豊かに創造されていくだろう。

●バカの一本道にはチャンスが舞い込む

1984年6月末日、僕はテレビ朝日を退職した。退職の少し前に放送作家の故・腰山一生という人物が引き合わせてくれた後の私のプロデューサー佐藤孝のリーダーシップの下で、企画集団「古舘プロジェクト」が創設されたのは翌日7月1日のこと。社長となった佐藤を筆頭に、僕を含めた初期メンバー7人で漕ぎ出した。

F1実況、「夜ヒット」「おしゃれ30・30」「おしゃれカンケイ」「報道ステーション」などは、すべて古舘プロジェクトとして受けた仕事だ。

こんな僕を引き立て、テレビ局を辞めてからも、人前で喋る仕事をひっきりなしに作ってくれる人たちがいる。本当にありがたいことだ。

「古舘プロジェクト」という社名ではあるが、僕は自分に企画力があるとは思っていない。セルフプロデュースもセルフブランディングも、てんでダメ。経営のこともわからないから、会社をどうしていくかの3年計画や5年計画もない。

毎日、考えていることといえば、ただひとつ。日々、目にするもの、耳にするものなど、おもしろいものはすべて喋りに還元しようということだけだ。

自分に喋りの才能があるなんて確信は、昔も今も持ったことがない。ひょっとしたら自分には喋りの才能があるのかもしれない。この「かも」という細い可能性の糸に、必死にすがってきたに過ぎない。

数多出会ってきた天才や才能豊かな人々に嫉妬し、憧れ、もし自分にも何かあるとしたら喋りしかない、その一本道を歩むんだと自分に信じ込ませてきた。

僕を使った企画を考えてくれる人たちや、それを成立させるために奔走してくれる人たちに恥じぬよう、「喋ること」だけをする1プレイヤーとして仕事に邁進するだけである。「オレにできることといえば、喋ること、喋ること。喋ることで大したことない自分の人生を創造するんだ」と自身に言い聞かせながら。

だからこそ、準備にも余念がない。天才でも何でもない僕が少しでも準備を怠れば、その仕事は台無しになるという恐怖感と焦燥感が常にある。苦しいことは苦しいが、だらしなくてサボり屋の僕には、これくらいがちょうどいい。

僕が歩んでいるのはバカの一本道。そうやって一本道で進み続けていると、周りに「バカじゃないの、おまえ」と言って、自分とは違うタイプの人が集まってきてくれるのだ。そうして、僕だけでは足りないところを、それぞれに違うタイプの人が「自分はここを」とやってくれる。「喋り屋」一本でやってきたから、「古舘プロジェクト」の仲間たちや、各所で支えてくれる人たちに出会えてきた。彼らがいてくれるからこそ、「喋り屋」一本でやってこられた。

バカの一本道には、バカの一本道にしか見えない先がある。

●積極的な消去法 —— 天才じゃないやつなりの戦い方

自分にどんな仕事が向いているのか、迷っている人もいるかもしれない。

特に若いうちは、就職活動などで、そういう悩みを抱きがちのようだが無理もない。20年やそこら生きたくらいで、何が自分に向いているのかなんて特定できるはずがないのだ。

「好きなこと」を仕事にするのはひとつの選択肢だろう。ただ、「好きなこと」と「仕事として向いていること」は必ずしも一致しないから厄介だ。

僕はアナウンサーを志したが、それだって、天職だとか、これこそ自分に向いている仕事だとかいう確信があったわけではない。そのストーリーの他に何もなかっただけ。

就職活動を始めた時分だから21歳の頃のことだ。それまでの20年ほどの人生を振り返ってみたら、僕はなんと無個性で不器用で、コンプレックスの塊だったことか。自虐的に見ていたのではなく、これが冷静な自己評価だった。

運動会のリレーのアンカーに選ばれたこともなければ、騎馬戦で大将を任されたこともない。実は小学生のころ、僕は肥満児だった。成績が抜群に良かったわけでもなく、女子にモテたこともない。やがて肥満児ではなくなったが、小学校でも中学校でも高校でも大学でも、パッとしないままだった。

だけど、そうだ。唯一、高校生のときに「喋り」だけはおもしろいと褒められた。喋りが生きる仕事、というと、アナウンサーか。よし、アナウンサーを目指そう——という思考回路で、いわば積極的な消去法を経て「アナウンサーになるんだ」と決めたのだ。

他のことは何ひとつできない不器用な自分には喋ることしかない、そう信じ込んで一本道に踏み込んだ。

その感覚は今も続いている。むしろ社会に出てからのほうが、増幅しているといってもいいくらいだ。

さまざまな個性や才能を持つ素晴らしい人々に出会えば出会うほど、ふと我に返れば、そこに常にいる「ダメな自分」のダメさが際立つ。すると、ますます「自分には喋りしかない」という物語化が進む。こうして僕は、自分に唯一、許されたと感じることができた「喋り」を軸に人生を創造してきた。

偉くも何ともない。なんとか生き延びるためには、そうするよりほかなかったのだ。

天才じゃないやつには、天才じゃないやつなりの戦い方がある。

不器用だし無個性だし、自分の天職なんてないかもしれない。だけど、日々、何か心に引っ掛かるもの、興味を惹かれるものに出会うことはある。そうしたら、そこにぐっと近づいてみる。その日だけ、その時だけでいいから、フォーカスしてみる。

明日は明日の風が吹くから、また新たな出会いがあるかもしれない。来る日も来る日も、今日も今日とて、今日の準備をすればいい。この積み重ねをするなかで、自分オリジナルの何かが、じわじわとにじみ出るように醸成されていくはずだ。

●「自分」なんて探したって見つからないよ

いっとき「自分探し」なんてものが流行ったことがあるが、今も自分を探す人は多いのだろうか。少しずつさまざまな仕事をかじってみたり、放浪の旅に出てみたり、である。

僕に言わせれば「自分」は探すものではなく、創るものだ。みんな「自分探し」ではなく、「自分創り」をしたほうがいいのではなかろうかと思う。

自分なんて探したって見つからない。「ありのままの自分でいる」といっても、その「ありのまま」が不変ではなく、常に変わり続けているので、ありのままを続けるという設定が無理筋なのだ。

自分の外側に自分らしきものを求めようと、結局は、自分の内側に立ち返るしかない。自分という人間は、間違いなく、この世にひとりしかいないのだから。世界に3人存在すると言われるドッペルゲンガーだって、ただ顔がそっくりというだけで自分ではない。

古典の名作を挙げれば、まさしくメーテルリンクの「青い鳥」だ。

貧しい家に生まれたチルチルとミチルの兄妹は、魔法使いのおばあさんに頼まれて「幸せの青い鳥」を探す旅に出る。ところが、行く先々の国で「青い鳥」は見つかるものの、連れて帰ろうと鳥かごに入れて、その国を出ると鳥は死んでしまう。すっかり落ち込んで2人が帰ると、家にあった鳥かごに「青い鳥」がいた。「幸せ」は外の世界ではなく、すでにあるものなのだ――という原作者の教訓は、そのまま「自分」にも当てはまるだろう。

そんな話をしていたら、ある人が教えてくれた。益田ミリさんの『すーちゃん』(幻冬舎)という漫画に、人生に迷い、悩みまくっていた主人公・すーちゃんが最後に、こう言って泣きじゃくるシーンがある。

「自分探しって何だよ　世界にたったひとりしかいない本物の自分を　自分が探してどうすんのそれじゃあ自分がかわいそうだよ」

おっしゃるとおり。自分で自分を探したって、どうしようもない。

自分という人間は自分の内側にしかいないのだ。ならば自分を探すのではなく、ココ・シャネルがごとく、創ること。小麦粉に水やらイースト菌やら砂糖やら塩やらを加えてこねて発酵させるように、いろんなインプットをして自分という生地を発酵させ、膨らませることだ。それを成形して焼き上げれば、人に喜んでもらえる美味いパンになる。

こうして自分の内側を醸成することで創造されるのは、もちろんひとり分の人生である。今は複数の仕事、複数の顔を持つ人も増えているようだが、それだって複数の人生を生きているのではなく、自分というひとつの土台の表層が分かれているだけに過ぎない。

いわゆるパラレルジョブ（複数の仕事を同時並行的にこなす働き方）も、土台たる自分が創造されていなければ成立しない。言い換えれば、土台たる自分が創造されていてこそ、いろんなチャンスが舞い込んでくるようになるのだ。

僕も「自分には喋ることしかない」と半ば無理やり信じ込んで、それを土台に人生を創造しているうちに、スポーツ実況の枠を超えて、いろんな仕事をさせてもらってきた。本書を出せることになったのも、そのひとつである。

最近、つくづく思う。あらゆる仕事において、僕自身の存在なんて2割程度だ。「古舘でこんなことをやろう」と考えて話を持ってきてくれる人たち、そのためにいろいろとお膳立てしてくれる人たち、僕を然るべきところに運び、然るべきことをさせる人たちの存在が8割である。

ただ、その8割の力を注いでもらえるのは、自覚的、無自覚的を問わず、一所懸命に準備をしてきたから、とはいえるかもしれない。

●すべては「他者評価」

どんなに僕の司会っぷりがダメでも、視聴率が良ければ、「古舘伊知郎の名司会ぶり」と言われて、番組は何年も続く。そういうものとして、僕は常に「すべては他者評価」と肝に銘じている。そして、結局、実際にやってみてどんな反響が生まれるか、蓋を開けてみないとわからないのが、他者評価というものだ。

これまで紹介してきたフレーズの数々だって、それがウケるかウケないか、発したときはまったく予想できていなかった。なぜウケたのか、なぜウケなかったのかなんてものは、後付けで振り返って語っているだけ。すぐにＳＮＳでなんでも話題になる今は驚かれるかもしれないが、アイルトン・セナの「音速の貴公子」だって、世間一般に注目されて広がったのは、Ｆ１実況で初めて言ってから2年後だった。

自身の実況について最初に世間の反応の手応えを覚えたのは、プロレス実況で発した「**闘いのワンダーランド**」というフレーズがウケたとき。でもこれも、当初はまったく反響がなかった。ところが、それからだいぶ経ったある日。『少年マガジン』（講談社）を開いてみたら、ある漫画に、ヘッドセットをつけた僕と思わしきアナウンサーが「**闘いのワンダーランド　蔵前国技館**」と言っている1コマが載っていたのだ。

それを見て初めて、「漫画家さんがこの言葉をいいと思ってくれて、少年マガジンの編集者さんもOKしてくれたってことは、実はウケているのかもしれない」と思えた。

矢沢永吉さんに「おたく、なかなか言うねぇ」と返していただいたのだって、他者評価。そしてそれは僕にとってはご褒美で、今でもお宝なのだ。

考えてみたら、そもそもアナウンサーを目指そうと思ったのも、周囲に喋りが誉められたのがきっかけだった。僕のキャリアは他者評価に始まり、今なお他者評価によって継続しているといえるかもしれない。

「すべては他者評価」というと、シビアに聞こえるかもしれない。

確かに、他者からの評価は、努力だけでは変えられない。自分でコントロールできることではない。でも、だからこそ、ニセモノだと開き直って、準備、準備、また準備とひたむきに取り組めばいい。

そうして他者から評価されたとき、それは自分の先を支えてくれる記憶になるのだ。

●「褒めてくれる人」をひとりだけ持つ

準備は孤独なものだ。自分の人生を創造する道のりそのものが孤独であるといっていい。「これ」と決めた一本道に踏み込んでから、「本当にこれで良かったのか？」と思う局面もあるだろう。

僕は今まで、「あれだけ準備して仕事をしてきたんだから」という一点をよすがに、未知の世界も「向こうっ気」で乗り切ってきた。これは、プロレス実況でちょっと売れたくらいの自分が縁あって独立し、数多くの出会いと仕事に恵まれ、齢70にも達しようとしている今だからこそ言えることだ。

現在、まさに社会に出る出発点にいる人、あるいは社会に出たばかりの人には、よすがとなる準備の蓄積もなければ、未知のことを乗り切る向こうっ気だって、持ちようがないかもしれない。

自分の半径30メートル位の幸せで十分だという人も多いだろう。

でも何をもって、人生を徒手空拳で進んでいくかというと、ひとりでいいから褒めてくれる人を見つけることだと思う。親でも友だちでも上司でも誰でもいい、ポンと肩を叩いて「がんばってるね」と言ってくれるような人だ。


プロレスの実況アナになった当初、「先輩と同じような実況をやってもつまらない」「せっかくならおもしろいこと言おう」と必死で食らいつくが空回りばかり。先輩からも「バカヤロー！変なことばっかり言いやがって」といつも怒られていた。

だが、そんな僕にもひとりだけ、背中を押してくれた人がいる。

ある日、同期がメインアナウンサーを任されたスポーツの試合でサブアナウンサーを務めることになった。確かバスケットボールだったと思う。

試合前の選手たちに取材をするため、ひと足先に国立代々木競技場に向かおうとテレ朝の廊下を歩いていたら、ワイドショーのディレクターだった6つ上の先輩が向こうから歩いてきた。そして、僕の肩をポンと叩いて言ったのだ。

「君、古舘っていったっけ？　先週の金曜、プロレス見たんだけど、君の実況、おもしろいな。なんか変なこと言ってたろ？」

突然のことにびっくりしながらも、「はい、1時間に1回はおもしろいことを言おうと思って……」と応じると、「あれはおもしろい。君、いけるよ」と言って去って行った。

それからというもの、その先輩には何かと良くしてもらって……という美談はなく、まともに顔を合わせることすらなかったと思う。でも僕にとって、この通りすがりの天使のひと言がどれほど救いになったことか。

プロレス実況を始めたころは、やることなすこと「邪道だ」「余計なことをするな」と否定された。「〝闘いのワンダーランド　蔵前国技館〟だと？　〝ワンダーランド〟とは何だ。〝格闘技の殿堂　蔵前国技館〟だろっ」とダメ出しされた。

僕だって、「テレビを変えてやる」みたいな純潔な反骨精神や、「実況、こうあるべし」みたいな高尚な理念があって取り組んでいたわけではないから、周囲から否定されるたびに「やっぱり仕事って、そういうもんなのか」と感じていた。

それでも、ずっと蓄えてきた知識や情報とプロレス愛、これらに何か自分の内側から突き上げてくる衝動を掛け合わせてワーワーやっていた。そこへ突然かけてもらったのが、あのひと言だったのだ。

後からその先輩の評判を耳にするに、どうも気まぐれで変わり者だったようだが、僕からすれば、まさしく地獄に仏。大げさでなく勇気100倍になれた。

すべては他者評価。だからこそ、たったひとりからの言葉が、強い心の支えになる。

こういう出会いが人を成長させ、自分創りにもひと役買ってくれるのだと思う。

アンタがラッキーだっただけ。そんなふうに自分を認めてくれる人には、そうそう出会えるものではない――という不満が聞こえてきそうだ。

でも、本章で述べてきたように、準備で夢は叶わないが、自分の人生を創造することはできる。

そのためには「心構え」という準備も有効だ。

ならば、これから人生を創造していく道のりでは、背中を押してくれる人との出会いが必ずある。必ずあるんだと念じながら歩んでいけば、それはきっと現実になる。

終章　人生とは「死に向かう準備」である

――「一瞬の極上の幸せ」を感じるために

●どうしたら、最期に「いい人生だった」と笑えるか

人はみな、いつか死ぬ。そう考えれば、生きることは死に向かう準備といえる。

僕なんか、今から「喋り屋」として死ぬ準備を考えている。自身の葬儀で出棺されるときに、僕自身が「**白菊を手向けてください。最後のお別れです**」と、ちゃんと録音しておいた実況を流すつもりだ。

「死へ向かう準備」なんて話をすると、「死ぬときに、『いい人生だった』と思いたい」と考える人は多いだろう。僕も同感だ。

特に近年はサイエンス偏向気味の時代であり、いわゆる「死後の世界」や「天国・地獄」「過去世・現世・来世」といった概念が薄れている。葬式を執り行わない人も増えているようだ。たしかに極楽浄土がないのなら、そこへと死者を送り出す儀式も必要ない。

死後の世界も来世もなく「死んだらおしまい」ならば、求めるのは「生きている間の幸せ」。「幸せな気持ちで人生を終えたい」と願うのが自然だ。

では、その幸せとはどんなものかというと、「これが手に入ったら幸せ」というような確固たる

ものではなく、一瞬、感じては消えてしまうものではないかと思う。

たとえば一日の終わりに疲れ切って帰宅し、何とか風呂に入って寝巻きに着替え、ドーンとベッドに倒れ込むとき、「疲れた……。だが、今日もやりきった……」と思う、その一瞬に充足感を抱くだろう。でも、眠りに落ちてしまえば、そんな充足感を抱いたことすら泡のようにすぐに消えてしまう。それが、幸せというものだと思う。

何かのために一所懸命に準備をする。決して楽しくはない。苦しい。だけど、必死に準備して取り組んだことが終わったときには、一瞬の充実感、解放感、幸福感に包まれる。人生とは、その繰り返しだ。


人はよく「幸せになりたい」と言う。だが「幸せになった」という状態などないというのが僕の幸福観である。他方、不幸には時間的継続性があると思う。

つまり幸せとは、「幸せでない状態」がずーっと続いているなかで、ハロウィンの夜に家々の玄関先に飾られているジャック・オー・ランタンみたいに、点々と灯っているもの。そんな一瞬、一瞬の幸せを「また来い、また来い」と追い求めると、余計に「幸せでない状態」の不幸感が強くなってしまう。だから、「幸せなんて一瞬のものだよ。それでいいんだ」と思っているくらいがちょうどいい塩梅だろう。

こうした、ある種の諦めと共に、不幸と不幸の狭間で一瞬、一瞬の幸せを感じる。死に向かう準備とは、そんな瞬間をかき集めながら、薄れる意識下でぼんやりと「いい人生だったな」と感じられる最期に向かうことなのかもしれない。

僕の場合、「自分には喋ることしかできない」と信じ込んでいるから、すべての準備は、究極的には「喋り死ぬ」ことにつながっている。天才ではないから準備に準備を重ねて、願わくは「おもしろい喋り手」として生涯をまっとうしたい。

「トーキングブルース」でも、YouTubeの「古舘伊知郎チャンネル」でも、必死に準備して、喋って、一瞬の幸せを感じたら、また準備して、喋って、一瞬の幸せを感じる。その果てに喋り死ぬために、今日も準備に勤しむだけだ。

●「テイカー」の自分を切り落とす

昔、アメリカのある田舎町にいた男の話だ。少し長くなるが最後まで読んでほしい。

その男は農村の労働者だったが、いつか上院議員になることを志し、弱冠25歳で立候補した州議会議員選挙で当選を果たした。それから8年間にわたって州議会議員を務める間に、男は法律を勉強して弁護士になった。

弁護士としての能力は高かったが成功は逃していた。というのも、弁護士は依頼人の利益のために働くものなのに、男は、依頼人が有罪だと悟ると弁護する気になれなかったのだ。

それがゆえに、「勝てばかなり高い報酬を得られる」という仕事でも、「この人は有罪だから僕には弁護できない。よかったら君が引き受けたまえ」と同僚に譲ってしまった。

人の世には、たとえ多少、人道にもとるところがあっても、下さなくてはいけない政治的判断というものがある。男の高潔さは周囲から尊敬はされたが、時には権力を発動して決断を下せる強さがあるのか、という点には疑問符がついていた。

そんな周囲の評判をよそに、男は、ついに上院議員に立候補する。45歳になっていた。

選挙戦は最終的に、男と2人の候補者A、Bの戦いになった。

トップ争いは候補者Aが一番手、それに少し差をつけられた男が二番手、そして候補者Bは圧倒的劣勢に立たされた。男とBは政治的な主義主張が近く、男の支持者の熱心な選挙活動により、Bの票が男に流れたことも大きかった。

候補者Aに対し、男は票の買収などの不正疑惑を抱いていた。そこで暫定トップに立っていたAの当選を阻止するために、男は選挙戦を降りたのだった。狙いどおり、男の支持者たちは候補者Bに投票し、Bが晴れて上院議員となった。

候補者Aでなく候補者Bが当選すれば、共通の政治的目的は果たされる。男にとっては、自分が当選することよりも、そちらのほうがずっと大切だった。

しかし、これで男が上院議員になる志を捨てたわけではない。

4年後にはまた上院議員に立候補する。あえなく落選するが、選挙期間中、男に票を入れるよう有権者に熱く訴えていたのは、誰あろう、かつての候補者Bだった。また、先の上院議員選挙でBの支持者たちのリーダーだった人も、男を強く支持してくれた。

このように自分の利益は二の次とする男を支持する者はじわじわと増え、いつしか男は大統領にまで上り詰めた。

その男の名は、エイブラハム・リンカーン――アメリカ合衆国第16代大統領である。

これはアメリカ・ペンシルベニア大学の組織心理学者、アダム・グラントによる『GIVE & TAKE』（三笠書房）という本に載っていた逸話だ。ある年の「トーキングブルース」の準備で、いやいやながら読みはじめたのだが、非常に興味深い内容だった。

世の中には、欲が強くて人から取ることが多い「テイカー」タイプの人間と、欲があってもまず人に与えることが多い「ギバー」タイプの人間がいる。最終的に真の成功者となるのは、はたして、どちらのタイプか。

著者のアダム・グラントは、最終的には「ギバー」タイプの人間こそが真の成功者となると結論づけた。といっても搾取されるのではなく、相手の持ち分と掛け算するために、惜しみなく自分の持ち分を与えるような「ギバー」が成功者となるというのだ。

短期的には「テイカー」が得をする。テイカーは、とにかく自分が得をするために行動し、人から奪い取ることをも厭わないからだ。しかし長期的に見ると「テイカー」からは人が離反し、今まで与えてくれていた人もいなくなっていく。

他方、「ギバー」は与えることで人から信頼される。すると多くのチャンスに恵まれるようになり、最後には圧倒的成功を手に入れるというわけだ。先のリンカーンの逸話は、その究極の例として挙げられていたものである。

さて、ここでハタと我が身を振り返ってみたら、とうてい「ギバー」とはいえない己の実像を改めて見たような気がした。僕は欲張りだし、やっぱり自分が得をしたい。自分の中のいやらしさはわかっている。だからこそ、「テイカー」の自分がちょっと強くなってきたと自覚したら、思い切って人に与えるという調整を加えるようになった。

たとえば、買ったばかりのアンティークウォッチを人にあげてしまう。

つい先日もスタッフのひとりに、買って4日ほどのアンティークウォッチをあげた。

それも、ずっと前から目をつけて「絶対オレが所有するぞ」と1年、2年と脳内イメージトレーニングをしてきたものだ。もはや引き寄せの法則で引き寄せすぎて万引きになるのではないかというほど、ずっと目をつけてきた。そうして満を持して、結構な値段だったが清水の舞台から飛び降りる気持ちで買った。もう、上機嫌である。それから3日ほど毎日つけていた。

4日目、スタッフのひとりが僕の時計に気がついて言った。

「いい時計ですね、最近ですか？」

「買ったんだよ、4日前に。……本当に、いいと思ってる？　じゃあ、あげるよ」

その場で外して渡してしまった。

ただ気分が良くなってあげているのではない。翌日、後悔することは予想済み。この時もやっぱり翌朝には「2年越しに狙って大枚叩いて買ったものが、もうないのか」と大後悔した。でも、後悔することも織り込み済みだから、後悔はしても反省はしない。

折に触れてこういうことをするものだから、アンティークウォッチ愛好家といっても手元にあるのは少ない。アンティークウォッチは骨董品。僕は一時的に「お預かり」しているだけであって、コレクションしたら滞留してしまうから、こうして世に回していくのもいいだろうとも思っている。

人間はそもそも何も所有などしていない。自分の肉体すらも「自分」という大脳が設定したものの所有物じゃない。死んだとき、何も所有していなかったことがはっきりわかるのだ。肉体もレンタルしたものに過ぎない。

「それはギバーでもなんでもなく、ただ物品を渡して自己満足しているだけじゃないか」と言われるかもしれない。そのとおり。おままごとでも構わない。それでも意識して何か行動すれば、自分の中の「テイカー」につながる悪い芽をちょっと削げる。「デジタルデトックス」ならぬ、**「欲望のデトックス」**だ。

僕の例は極端だが、なんだっていい。「一日一善」だって、「テイカー」の自分を削ぐひとつの方法だと思う。

まるでサンドイッチを作るときに食パンの耳を切り落とすように、こうして「テイカー」の自分を削ぎ落としていく。その先に目指すのは、金も地位も名誉も何もいらないという境地で、ただ人に与え慕われたという充足感に満たされて死ぬことだ。

正直、まだまだその境地には程遠いが、つまり「テイカー」の自分を削ぎ落とすのも、僕にとっては、幸せに「喋り死ぬ」ための準備のひとつなのである。

ちなみに先述のスタッフは、翌日その時計を持って楽屋に入ってきた。冷静になったら高価過ぎてもらえないと返そうとしているのかと思った僕は、「一応さ、男があげたものをオレ受け取ると思う?」と言おうと準備して待ち構えていたのだが……

「これ、ありがとうございます! もう一度、古舘さんにお礼を言ってからはめようと思って」

予想と真逆。そこで僕は反対のことを言った。

「なんなんだよ〜、返してもらおうと思ってたのに」

「その気はないですよ、せっかくいただいたのに」

「『返す』って言ったら、『一度手放したもの、受け取れるか！』って言いながら受け取ろうと思ってたんだよ」

ふざけて言い合いながら、「ありがとうございます」と時計を腕につける彼。そこで、朝の大後悔を超えてすべてに見切りをつけ、これで良かったと思うのだ。

●脳のために「取り留めもない時間」を作る

僕は昔から能率の悪い人間だ。新聞記事をひとつ読むにも、軽く30分くらいかかる。ただ書かれていることを読むだけでなく、その背景や周辺情報が気になって考えてしまうから、とにかく一つひとつに時間がかかるのだ。

時には新聞をパサッと置いて（デジタル版の場合はスマホをポンと置いて）、取り留めもなくボ——ッと考えることもある。そうなると1記事あたり30分どころではなく、時間がいくらあっても1紙すら読み切れない。

だから言うわけではないのだが、人間の脳っていうのは、もともと取り留めもないように作られているのではないかと思う。

動物の脳では、おそらく、すべての機能が「生存」「種の保存」に紐付けられている。だが人間の脳は、放っておくと、どこまでも思考が広がる。ありもしないことにまで想像が及び、妄想の世界に遊んでしまう。そこが合理的な動物の脳との違いなのだろう。

人間の脳は取り留めがなく、非合理的。数々の発明も、古今東西の素晴らしい文化・芸術作品も、そのおかげで生み出されてきたのではないか。そう考えると、今の現実世界はキチキチと取り留めがありすぎる気がする。

何事においても能率よくこなすことが求められ、コスパやタイパが悪いと「無駄」のひと言で排斥される。わからないことは即、検索だ。自分で考えてみるまでもなく、人に尋ねるまでもなく、さっとスマホを取り出してググればいい、ということになっている。

思考は常にスッキリ明晰であること、白黒ついていることが善とされ、いろんな思考がごちゃごちゃと入り乱れた状態も、結論の出ないグレーゾーンに留まることも許されない。

ビジネスではとかく「生産性を上げろ」と連呼され、さもなくば日本経済はますます世界で後れを取ると脅される。

近年、「生きづらさ」という言葉もしばしば聞かれるようになった。もし現代が特に「生きづらい時代」なのだとしたら、それは、もともと取り留めもない脳を、取り留めがありすぎる現実に無理やり適応させようとしているからかもしれない。

ならば脳のために、あえて「取り留めもない時間」を作ることも必要なのだ。

たとえば「これ、何だろう?」と思ったら、すぐにググらずに「何だろう、何だろう……」とボ――ッと考えてみる。

やってみたいことや心惹かれるものがあったら、「いいなあ」「すごいなあ」「ひょっとして、自分はこういうことに興味があるのかなあ」と思い続ける。

己の道を見失いそうになったり迷ったりしたら、答えを性急に出そうとせずに、ウジウジ、ジクジク、悶々と悩んでおく。

そうでもしないと、この取り留めのありすぎる現実を生き抜いていけなくなってしまうと思う。取り留めもない脳にとって、おそらく今の世の中は窮屈すぎるのだ。無理が重なれば、いつか自分の中で何かがポッキリと折れかねない。

Ｆ１のレーシングカーだって、エンジンをかけた途端に時速３６０キロを出せるわけではない。ブルンブルンとエンジンを吹かして走り出し、助走を経て最高スピードに達する。

これと同じく、人間も、スピードを上げていくためには、あえてノロマな時間を作ったほうがいい。「能率」を上げるには「非能率的」な時間が、「生産性」を上げるには「非生産的」な時間が、「有益」なものを手に入れるには「無駄」な時間が、「明確な答え」を出すには「悶々と悩む」時間が、必要なのだと思う。


コスパ・タイパ度外視の準備学とは、なんと時代に逆行していることかと思った読者も多いだろう。僕自身、その自覚はある。

だが結局は、それが能率や生産性、有益性、あるいは答えを得ることにつながっていくわけだ。取り留めもなくできている脳のために、あえて取り留めもない時間を作る。今、僕らが置かれている現実――窮屈で生きづらい、取り留めのありすぎる現代社会をたくましく泳いでいくためには、こういう準備も必要なのだ。

おわりに　――　準備とは、未来を生きること

ここまで、さまざまな角度から、僕の「準備学」をお伝えしてきた。

さて、最後に。準備とは何なのだろうか？

「準備は本番、本番が準備」を中心に、いろいろな表現をしてきた。もっと幅広い切り口で表すこともできるだろう。

その中でも、**「準備とは、未来を生きること」**というひとつの捉え方ができると、僕は思っている。

たとえば、今日、これから人と会うとする。だらしない格好で会ったらカッコ悪いから、身なりを整える。口が臭ったら嫌がられるだろうから、念入りに歯を磨く。ボサボサの髪だと不潔感が漂うから、髪もちゃんとする。

全部、「人と会っている未来」でしくじらないための準備だ。これは「今」ではなく、1時間後か3時間後か、とにかく「人と会っている未来」を生きているということではないか。

こうして準備を整えてから人と会う。すると今度は「明日、朝早いから今日は遅くとも21時には切り上げよう」とか、「この後、まだ仕事があるから、2割くらいエネルギーをセーブしておこう」とか、いやらしく考えるのだけど、それも目の前の人に失礼だと思うから、エネルギーをセーブしながらも、「これが僕の一所懸命」といやらしく演技するのだ。

これだって、「人と会った先の未来」を生きているわけだ。

あるいは、暑い夏の日、喉が渇いて冷蔵庫に冷たい飲み物を取りに行く。「喉が渇いたから冷蔵庫に冷たいものを取りに行こう」と思い、椅子から立って歩きだしている時点で、やはり「冷たいものを飲む未来」を生きているとはいえないだろうか。

準備をした人には輝かしい未来がやってくる、のではない。準備をすることで、望む未来を手繰り寄せているのでもない。準備している時点ですでに未来を生きているんだという見方が、僕には一番しっくりくる。もっと言えば、時間は未来にしかない。過去もなければ現在もなく、ただ、未来からやってきた時間を生きている。

では僕たちは常に未来を生きていて、準備とはまさしく未来を生きることだとすると、そこから何が言えるか。

未来にしか時間がないのなら、「現在と未来」を区切ることはできない。

「現在と未来」を区切ることができないのなら、「準備と本番」を分けることもできない。

準備とは、未来を生きること。

それは言い換えれば、常に「本番という未来」を生きるということなのだ。

本番の前段階に準備があるのではなくて、準備そのものが本番の人生であり、やがて準備しなくなるときが、未来がなくなるとき――つまり命が途切れるとき。僕は自分の人生を、そう捉えている。


準備、準備、また準備。職業、喋り屋であり準備家。

僕は今日も、明日も、喋り屋として生き続ける限り、またせっせと我流・亜流・無手勝流の工夫を凝らしながら、本番という未来へ向けた準備をし続ける。

古舘 伊知郎（ふるたち・いちろう）

1954年東京生まれ。立教大学卒業後、1977年テレビ朝日にアナウンサーとして入社。「ワールドプロレスリング」などを担当。鋭敏な語彙センスとボルテージの高さが際立つプロレス実況は「古舘節」と称され、絶大な人気を誇る。1984年、フリーとなり、「古舘プロジェクト」設立。F1などでムーブメントを巻き起こし、「実況＝古舘」のイメージを確立する。また、3年連続で「NHK紅白歌合戦」の司会を務めるなど、司会者としても異彩を放ち、NHK＋民放全局でレギュラー番組の看板を担った。その後、テレビ朝日「報道ステーション」で12年間キャスターを務め、現在、再び自由な喋り手となる。2019年4月、立教大学経済学部客員教授に就任。ライフワークとして1988年からスタートしたトークライブ「トーキングブルース」は、毎公演チケットが完売し、厚い支持を集める。著書に『喋らなければ負けだよ』（青春出版社）、『言葉は凝縮するほど、強くなる』（ワニブックス）、『MC論』（ワニブックス）、『喋り屋いちろう』（集英社）など。

伝えるための準備学

2024年 7月22日　第1刷発行
2024年10月15日　第2刷発行

著者	古舘伊知郎
発行者	田中泰延
発行	ひろのぶと株式会社 〒107-0062　東京都港区南青山2-22-14 電話／03-6264-3251 https://hironobu.co/
発売元	株式会社 順文社 〒104-0045　東京都中央区築地1-8-1 6F 電話／03-6260-6021 https://junbun.jp/
校正	有限会社 あかえんぴつ
印刷・製本	勇進印刷株式会社
装幀・本文デザイン・DTP	上田豪
取材・構成	福島結実子（アイ・ティ・コム）
取材記録協力	直塚大成
編集	廣瀬翼
制作管理	加納穂乃香
協力	株式会社 古舘プロジェクト

ISBN 978-4-8094-2000-9